ローカル
プレイヤーの教室

地域の中で
あなたの「したい」を
「できる」に変える

はじめに

地域での活動や小さなコミュニティでの振舞いにこそコツがあり、それを少しでも多くの人と共有したいと思い、この本を書きました。

どこか懐かしい、でも新しいつながりを、地域で模索していきたいのです。

ここで暮らす自分を肯定する。ともに地域をつくる他者を肯定する。あの人とはちょっと話が合わないけど、少し距離をとれば共存できる。新しい仲間を受け入れたり、仲間の門出を見送ったりすることができる。

生きづらさを緩和し、地域でゆるやかな幸福感の輪を広げていくには、地域で暮らす人、はたらく人それぞれが、ここなら自分がやりたいことを続けていける、やりたいことを受け入れてもらえる、困ったら頼れる人がいる、という安心感が必要だと思います。

もしもあなたの好きな地域で、あなたのやってみたいことが実現したらどうでしょう？そしてあなたの周りに、地域でやってみたいことを実現している人たちが集まってきて、地域に対して考えたり語ったりしたら、どんな地域になるでしょうか？

私が支援できる活動の規模は小さいです。何百人、何千人というコミュニティのことは想定していません。

地域を大切に想う人が、顔が見える関係で進めていけるような活動規模を念頭に置いています。

しかし、そこから始まる夢は壮大です。

住民同士がゆるくつながって、地域の肯定感を育み、心地の良いコミュニケーションから、無理のない範囲で助け合う、そんな地域の循環をつくりたい。

日本全国の各地域で、ワクワクするような地域活動が立ち上がり、地域の肯定感が育まれる。無理のない協働や支え合いが、高齢化が進む日本の暮らしをやわらかく包んでいく。

私ひとりが大きな声で、こうしたい！　こうすべきだ！　と叫んでも実現するようなことではありません。

誰かの圧倒的なリーダーシップで推し進めていけるような夢でもありません。私が望むのは、普通に暮らしている人が、普通に自分のローカルを大切につくり上げていくような未来です。それは、今までの暮らしの普通ではないかもしれません。思い込みや決めつけを減らして、地域の新しい普通を考えるときがきています。

「別にやりたいことなんてないです」という方もいるでしょう。地域への不満はありませんか？　自分の住む地域がもうちょっとこうだったら良いのにな、と思ったこと、ありませんか？　違和感も大切な視点だと思います。

「自分がやりたいことと地域は関係ないでしょ」と思った方もいるでしょう。オンラインでできる仕事や趣味も増えていますね。対面で会える仲間ができたり、土地勘がある場所だからこそスムーズにできることもあります。この本を読んで、住んでいる地域、多くの時間を過ごしている地域でやりたいことを探してみるのも一興、と思ってもらえたらうれしいです。

「そんなことをしたって、お金にならないでしょ」と言いたくなる気持ちもわかります。お金は大切です。しかし、それ以上に大切なのはあなたの自己実現であり、こればかりはお金で買えません。あなたの一度きりの人生は、あなたにしか生きることができません。

これから、あなたにしかできない地域の活動が生まれるよう、さまざまなヒントをお話ししていきます。本を読んだら終わりではなくて、ぜひ実践に移してみてください。あなたの活動は計画時、実行時、さまざまな局面で悩みや課題がたくさん湧いてくるかもしれません。そんなときは、その課題を主軸に、また第2、3章を読んでみてください。そして、地域の人々とのお付き合いに悩んだり、疲れたりしたときには第4章を読んでみてください。

さあ、始めましょう！　ローカルプレイヤーの教室、開講です！

著者

ローカルプレイヤーの教室　目次

第4章　コミュニティリテラシーを考えよう　135

第1章

ローカルプレイヤーとは？

ローカルプレイヤーとは？

ローカルプレイヤーという言葉を聞いたことがありますか？
辞書を引いてもなかなか出てこない言葉です。この本ではこのように定義しました。

ローカルプレイヤーとは「わたし」と「ローカル」に向き合い
地域のつながりの中で自己実現する人

ここで「地域」と「ローカル」という言葉が似ているので、以下のように分けます。

地域・・・町単位（〇〇1丁目など）
ローカル・・・あなたが好きな地域や拠点にしたいエリア

ローカルというと、「地方」をイメージされる方もいるかもしれませんが、都市でも地方でも、あなたが活動したい範囲のことをローカルと定義しました。あなたのローカルは、狭い範囲の××町近辺でもいいわけですし、広域の□□市と◇◇市と決めてもいいわけです。

ローカルプレイヤーは営利・非営利を問いません。あなたがこの本で出した答えが営利事業なら営利ですし、ボランティアなら非営利です。**ローカルの良さを生かす人、ローカルの新しい価値やつながりを生み出す人を、ローカルプレイヤーとしています。**

そんなローカルプレイヤーの教室ですから、

・地域で起業、複業をしたい
・地域活動を始めてみたい
・好きなことで何か活動をしてみたい
・地域活動を始めてみたが、なかなか上手くいかない

という皆さんを応援するためにこの本は存在しています。はじめの一歩や新たな視点づくりから、愛されるローカルプレイヤーになるまでをお話ししていきます。

テーマは「**あなたの答えはあなたの中にある**」です。これは、**あなたが本当に「やりたい」と思っていることを、徹底的に掘り下げて地域で実践する**ことを表しています。あなたがやりたいことを地域で行うのは、あなたにとっても地域にとっても、きっと素晴らしい結果をもたらすでしょう。これは第5章でお話しするので、今はまずあなたのやりたいことを整理していきましょう。

■ローカルプレイヤーの魅力と「ゆるいつながり」

最初にローカルプレイヤーの魅力を確認しておきますね。私はいつも、野菜づくりで例えています（図1-1）。

全国に流通している農家さんのお野菜は、幅広い人々が食べます。スーパーマーケットでは農家さんの顔写真つきで「私がつくりました！」と掲示されていることもありますが、美味しかったからといっても、その農家さんに会いに行き感想を伝える人は、あまり多くいませんよね。

しかし、もしも近所のAさんが丹精込めてつくったお野菜を直接いただいたらどうで

図1-1：ローカルプレイヤーの魅力

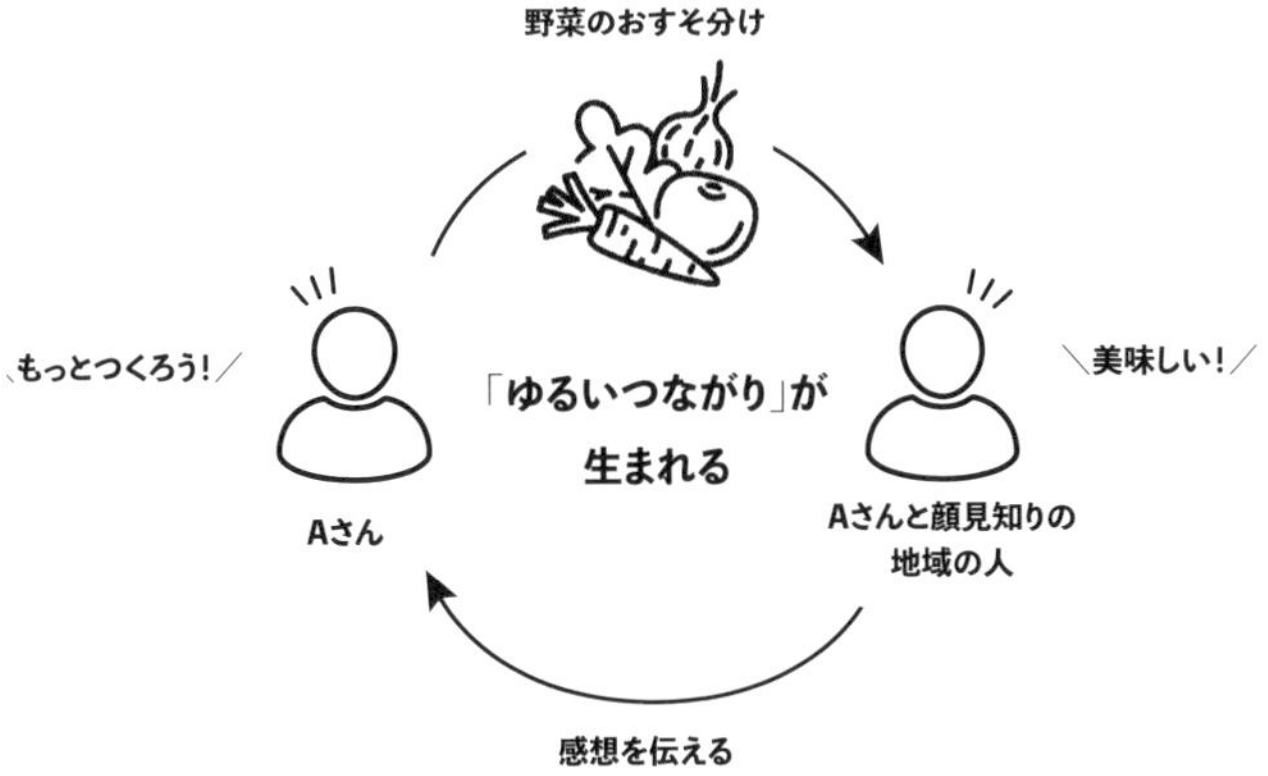

しょう。Aさんとあなたは、顔を合わせればにっこり挨拶するような良い関係です。「今朝採れたんです」「毎日虫がつかないように手入れしました」などと栽培のエピソードまで聞いたら、一層「美味しいなぁ」と感じますよね。食卓では「これがAさんのつくったお野菜だよ」と話題も出るでしょう。そして、今度会ったときには「こないだのお野菜、とても美味しかったですよ！」と感想を伝えますよね。そして喜んだAさんの顔を見る。こんな素敵なことはありますか？

　これこそがローカルプレイヤーの魅力であり醍醐味です。あなたはご自身のストーリーを交えながら地域の中で活動する。それを受けた人が直接あなたに感想を伝える。時には厳しい意見もあるかもしれませんが、この地域をいとおしく思う人々が、地域で頑張ろうという人を否定することは多くありません。ローカルプレイヤーの原動力は、同じ地域で想いを共有している仲間です。こうして、地域の中でつながりが生まれていきます。

地域のつながりは、「ゆるい」ことが大事だと、私は考えています。

顔が見える関係を気持ちよく続けるには、自分と他者を肯定し、肯定から生まれる安心感や幸せを土台としたコミュニケーションを重ねていく必要があります。

義務や強制、利害関係によるつながりは、時として脆いです。自発的な思いやりに支えられ、かつ窮屈にならずに長く持続していけるようなつながり方を「ゆるい」と表現しています。

地域の中で「ゆるいつながり」が生まれ、「肯定感・幸福感」と「自発性・モチベーション」が掛け合わされたときに、新しい地域共生が実現します。これこそが、ローカルプレイヤーの教室が目指すところです（図1-2）。

図1-2：ゆるいつながり

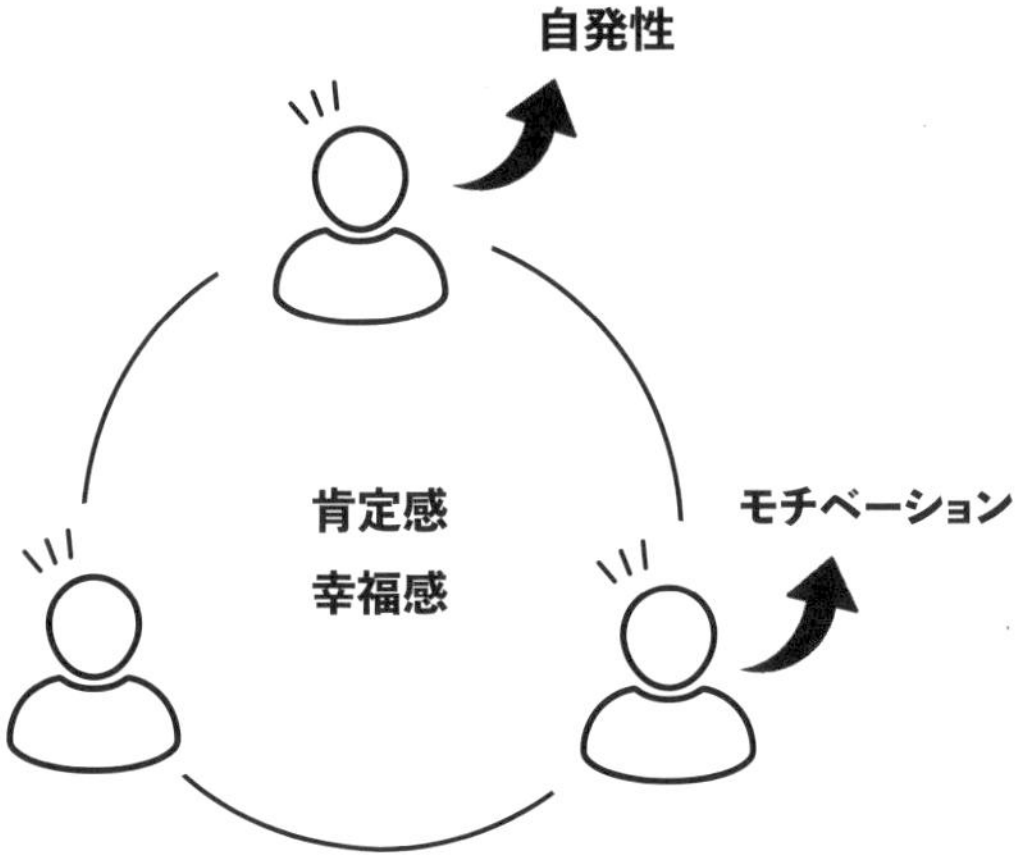

ローカルプレイヤーのストーリー

あなたが地域でやりたいことは決まっていますか？　決まっている方もまだの方も、まずは活動を始めるきっかけ（ストーリー）を考えてみましょう。ビジネスでも、経営者の「事業を営むきっかけ」は、ＭＶＶ（ミッション・ビジョン・バリュー）につながる大切な部分です（第2章で詳しくお話しします）。そして、ローカルプレイヤーのストーリーは、**自分の活動がブレないための大切な基準**でもありますし、**その地域で暮らす人々に共感（応援）されるための大切なお話**でもあります。

ここで、私のストーリーをお伝えします。ただ、この章はあなたのストーリーをつくる場ですから、私のストーリーはひとつの事例に過ぎません。読み飛ばしていただいても結構です。

事例：「あやせのえんがわ」のストーリー

私は東京都の足立区で生まれ、足立区で育ちました。会社員時代は他区で勤めていましたが、住まいは一度も足立区から出たことがありません。また、会社員として2006年から2021年まで、そして起業したあとの2023年までの計17年間、介護職として従事しました。

2006~2013年　グループホーム時代

私はまず、介護保険のグループホーム（認知症対応型共同生活介護）で働きました。ここは認知症の診断を受けた高齢者が、小規模な建物で共同生活を送る介護保険サービスです。後半はホームの管理者も経験させていただきました。

認知症と一言で言っても、その症状は人それぞれです。直接的な症状（中核症状）として、記憶がすっぽり抜けるような物忘れや、道に迷ったり家族がわからなくなったりすることが挙げられます。それに対して、直接的な症状などが原因で起こる二次的な症状（行動・心理症状）もあります。当たり前の話ですが、ある日自宅や家族がわからなくなったら、とても強い不安に襲われますし、そのような症状が長く続けば、さまざまな精神的負担もかかります。人それぞれですが、暴力・暴言につながったり、幻覚が見えたりすることもあるでしょう。

私がグループホームに勤めていた間に、入居時からこの二次的な症状が強い利用者様と何人か出会いました。

時折昔の記憶がよみがえって複雑な表情を浮かべる利用者様を見ると、「この人たちは家でどんな生活をしていたのだろうか？」「どのように認知症の症状が強くなったのだろうか？」「症状を緩和させるためにできることはなかったのだろうか？」と、いつもこれらの問いが頭の中を巡っていました。

そこで私はケアマネジャー（ケアマネ）という資格を取り、自宅で介護支援を受ける人の相談員的な仕事に転職しました。

2013〜2021年　ケアマネジャー時代

自宅で介護支援を受ける人の相談員である、ケアマネの仕事が始まりました。そこに勤めるなかで、認知症の人々が自宅でどのような生活を送っているか少しずつわかってきました。同じような症状を抱えていても、その人がどのような日課や地域関係を持っているかによって、暮らし方が全く異なるのです。まさに十人十色で、さまざまな生き方があるし、支えるご家族の考え方もいろいろです。

また、認知症の人が生活する地域に大きな課題があると気づきました。その地域課題は人間関係から生活環境まで多種多様です。

介護する家族も大変で、介護離職やダブルケア（子育てと親の介護の重なり）などの現場を見てきました。さらには地域コミュニティの減少、地域の人々の分断された暮らしを目の当たりにしました。

私はケアマネとして、そうした地域の課題に対して貢献する必要性を感じており、地域のお祭りのお手伝いや介護イベントの運営などを経験しました。それらはとても良い取り組みですが、近隣の高齢者はそういった取り組みを全く知らないという現状もありました。情報が届かないのです。あるいは、届いたとしても何かしらの理由で参加することに壁がありました。

一方で政府は2016年に「一億総活躍社会」を掲げ、厚生労働省が中心となって、地域住民が世代や分野を超えてつながり、住民一人ひとりの暮らしと生きがいを創っていく「地域共生社会」の実現に向けて動き始めました。

私は地域共生社会の理念に強く共感していたのですが、地域の現状との乖離にモヤモヤする日々を送っていました。

2021年～　「あやせのえんがわ」を起業、ローカルプレイヤーに

そんな中、2020年からコロナ禍となり、さらに我が家では長男が生まれました。目に見えない感染症の不安と共にテレワークが始まり、久しぶりに地元の足立区綾瀬で長い時間を過ごしました。普段は自転車で通り過ぎていた道を散歩してみたり、地元商店街とのゆるやかな交流も始まったりしました。

その小さな時間が、改めて地域の暮らしを考える大きな機会となり、私はこのモヤモヤを地元で解決するチャレンジをしてみたくなりました。大きなことはできなくても、草の根レベルで地域課題を解決できると信じて、地域の縁側的スペース「あやせのえんがわ」をつくりました。これがローカルプレイヤーとしてのデビューでした。

開業時のあやせのえんがわは、ケアマネジャー事務所の運営に加え、週末には地域の

生産者さんの商品を地域の人で消費する「こぢんまり商店」というお店も立ち上げました。商店は地域の人が集う場となり、縁側に見立てた畳の小上がりに座って「私も地域でこんな活動をしてみたい！」というお話を多く聞きました。中には「活動を始めてみたけどなかなか上手くいかなくて……」という相談もありました。また、あやせのえんがわのスペースを利用したいというお声もあり、子ども向けワークショップや映画会、ミニ音楽ステージなど、さまざまなコラボレーションに発展しました。地域の課題はたくさんあるけれど、地域で何かをやりたい人も多いと実感しました。

そこで、ケアマネジャー事業は一旦休業して、地域で起業・複業する人、地域活動をする人を支援する事業を検討しました。介護職（特にケアマネ時代）の対人援助などの経験を地域活動に置き換えてアレンジし、あやせのえんがわを立ち上げてからの経験とつなぎあわせてノウハウ化した対面講座「ローカルプレイヤーの教室」を２０２３年に立ち上げて、現在に至ります。

この教室では私が講師ですが、私自身もローカルプレイヤーの実践を続けていくつもりです。現役の実践者である私が講師を務めることに意義を感じています。

ローカルプレイヤーの教室
卒業発表会 やってます！
13:30-16:00
公開講座
見学歓迎
出入り自由
足立で子どもにまつわる
地域活動を計画中の
3名による発表です♪
from あやせのえんがわ

あやせのえんが

ローカルな共感の仕組み

私の長いストーリーを読んでくださった皆さん、ありがとうございました。

シンプルに言うと「問う→向き合う→気づく→行動する」という構成で書いています。仕事や暮らしの中でわからないことがあれば調べたり考えたりして、気づいたことがあれば実行するのは自然な流れです。ただ、頭の中で理解していることを改めて言語化するのは意外に難しいですよね。しかし、何か新しいことを始めるときにはこの作業が必要です。

そして、ローカルプレイヤーは自分が活動をしようと決めたローカルで、いろいろな人と出会います。「初めまして」とご挨拶した後は、自己紹介やらどんな活動をしているかなどを話す流れが一般的だと思います。その後**「なぜ、この地域で活動をしようと思ったのですか?」「どうして、この事業をやろうと思ったのですか?」**というような質問がくるはずです。ここがストーリーを語るスタートであり、**共感**が生まれるポイントでもあり

図1-3：ローカルな共感の仕組み

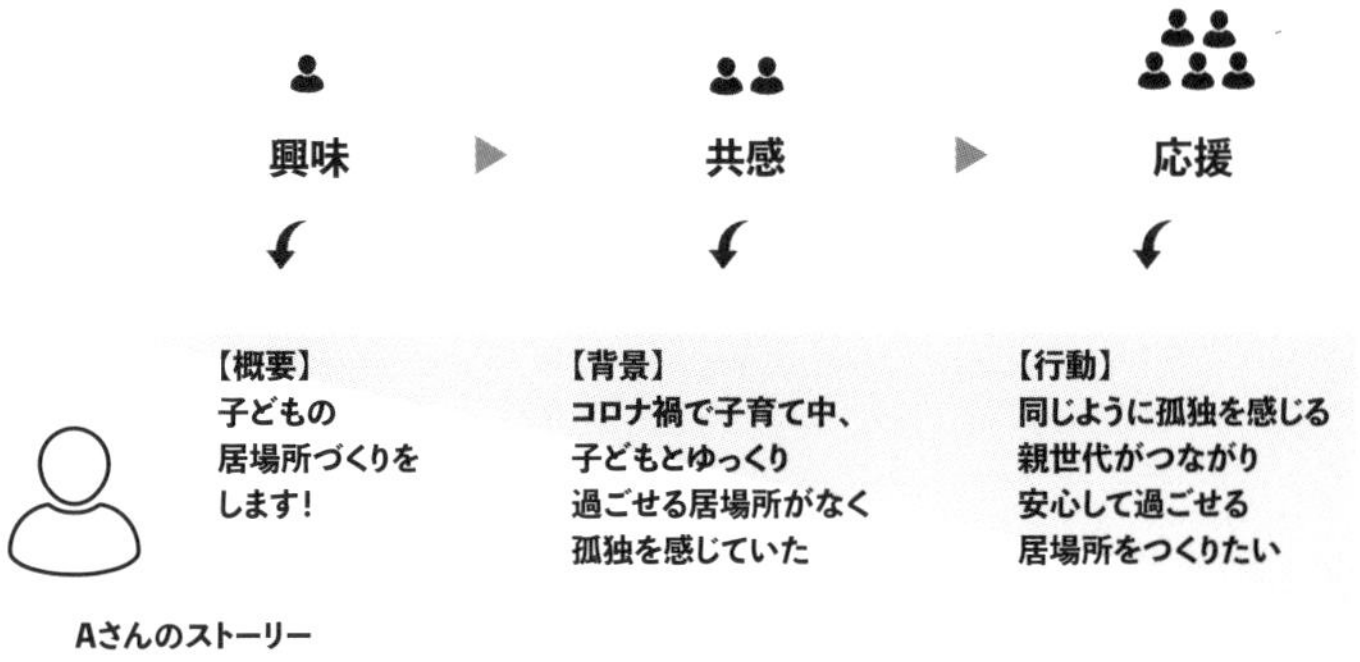
興味
共感
応援
【概要】
子どもの
居場所づくりを
します！
【背景】
コロナ禍で子育て中、
子どもとゆっくり
過ごせる居場所がなく
孤独を感じていた
【行動】
同じように孤独を感じる
親世代がつながり
安心して過ごせる
居場所をつくりたい
Aさんのストーリー

ます。

もちろん、何でもかんでも共感を得れば良いという話ではありません。しかし、ローカルの中で共感してもらえることは励みにもなりますし、この先何か良い効果があるかもしれません。

そこで、ローカルな共感の仕組みを少し可視化していきましょう（図1-3）。

ローカルな共感は「**興味**」から始まります。そしてその先に「**共感**」、さらに先には「**応援**」があります。簡単な事例で当てはめてみましょう。

①［概要を伝える↓興味を持たれる］

Aさんは「子どもの居場所づくり」の

活動を始めます。地域の中で子育て層の方を中心に「どんな居場所だろう?」と興味を持たれるでしょう。

②［背景を伝える↓共感が生まれる］
Aさんは、コロナ禍で子どもとゆっくり過ごせる居場所がなく、毎日孤独を感じていました。この話は、同じような環境で孤独を感じていた方々に共感されやすいでしょう。

③［行動を伝える↓応援が生まれる］
そのためAさんは、自分の住んでいる地域の中で、子も親も安心して過ごすことができて、同じように孤独を感じている親世代がつながれる居場所づくりを始めることにしました。共感していた方々は「応援したいな」という気持ちに変わっていくことでしょう。

これがローカルな共感の仕組みを可視化したものです。

この例はとても簡潔にしていますが、実際にはいきなり活動が始まるというわけではなく、いくつもの段階を経てスタートしていきますよね。その段階の中で、ときにあなたが強調したいこととは違う部分で共感されることもあります。

先ほどの例のストーリーの「背景を伝える」では、「コロナ禍で子どもとゆっくり過ごせる居場所がなく、毎日孤独を感じていた」という部分を共感として紹介しました。しかし、もっと単純に、同じ地元の学校の卒業生ということだけで共感してくれる人がいるかもしれません。

あるいは基本的な部分で、地域の中で子育てをしている人が、地域のために新しいチャレンジをしようとしている、という点に共感されるかもしれません。共感のポイントは相手の生活歴や背景からも変わってきます。そのため、**ストーリーにさまざまな段階や要素を組み込むと、多様な共感が生まれていきます。**

あなたのストーリーをつくろう

それでは具体的にストーリーをつくっていきましょう。ローカルプレイヤーの教室がストーリーをつくる上で大切にしているポイントをお話しします。「私はすでにやりたいことは決まっているよ」という方も「何かしたいけど、何がしたいかまとまらないんです」という方も、どちらにも当てはまるお話ですので、気持ちをフラットにしてお聞きください。また「そんな大げさなストーリーなんて自分にはないよ」と思っている方も、これからの活動に役立つ記憶が蘇るかもしれませんので、ぜひ一緒に探ってみましょう。

ワーク：充実した時間を思い出す

まずは、ストーリーづくりのベースとなるワークからお伝えします。それは、あなたの人生の中で、**楽しかったこと**、**充実していたこと**、**印象に残っていること**、**自分で自分を褒めてあげたかったこと**などを、時系列で思い出していくことです。できるだけ多く思い

図1-4：充実した時間を思い出す

	▶ 〜小学生	▶ 中学生〜	▶ 社会人
どこで			
誰と			
何を			
どのように			

そのとき、あなたの中で生まれた「感情」は？

出してみましょう（図1‐4）。

わかりやすく考えるために「小学生まで」「中学生以降」「社会人」と3つに分けました。あまり型に当てはめず自由に思い出してみてください。この充実していた思い出や経験、心の動きなどは、あなたがこれからローカルプレイヤーになる上で大切になりますし、ストーリーを肉づけする可能性もあります。もっというと、あなただけのオンリーワンの活動が生まれるヒントになるかもしれません。

このワークで私が思い出したことをお話ししますね。

小学4年生まではあまり友達がいなかった私ですが、小5になると自分らしさが生まれ、同時にクラス替えもあり友達が少しずつ増えてきました。

当時住んでいた自宅の裏には小さな公園があり、学校が終わるとよくその公園で遊んでいました。私の記憶では「じゃあ4時に○○公園ね」みたいな約束をするのではなく、何となく公園へ行くと友達がいて一緒に遊んだ、という思い出が残っています。男の子が多いときはアスレチックや水遊び、女の子がいるときは近所の駄菓子屋さんでお菓子を買い、おしゃべりをしていたことが良い思い出だと感じています。

実はこの経験が、約30年後に私が立ち上げた地域の縁側的スペース「あやせのえんがわ」に活かされていました。しかも、知らぬ間にです。えんがわでは地域の素敵な方々がよく訪れていますが、「約束もしていないのに偶然知り合いと会った」とか「お互いがえんがわに来ていることを知らずにバッタリ会った」ということがよく起こります。

私の考えですが、人は約束して会うよりも偶然出会ったときのほうが興奮すると思います。例えば、居酒屋で常連客同士が偶然会った瞬間が良い例です。予期せぬ出会いにテンションが上がります。そんな環境を私は自然にあやせのえんがわでつくっており、それは小5の良い思い出から知らず知らずのうちに再現していたのだと思います。

昔のことを思い出すというのは、同時に嫌な思い出や恥ずかしいことを思い出してしまうので少しつらい作業かもしれませんが、今回だけだと思ってゆっくり思い出してみましょう。

その思い出したエピソードから、あなたの活動のストーリーを組み立てていきます。

対面講座では、参加者の皆さんにストーリーを考えてもらい、雑談としてシェアする時間をとっています。「ワークで思い出したエピソードから『〇〇』という体験をして『××』と思った」「だからこんなことをやってみようと思っています」という具合です。

ここで大切なポイントを3つお伝えします。

ポイント❶　無理にストーリーをつくろうとしない

1つ目のポイントは「無理にストーリーをつくろうとしない」ことです。話の流れからストーリーをつくってみようかな、という気持ちになってくださった方もいると思います。

しかし、このままだと「ストーリーをつくるため」の「ストーリーづくり」をしてしまう可能性があります。つまり、ストーリーの完成が目的となってしまいます。

ストーリーをつくることは、この先ローカルプレイヤーとして活動する上での基準とすることや、地域で暮らす人々から共感を得ることが目的ですので、決して無理にストーリーをつくろうとしないでください。具体的にいうと、現時点で「自分はこういう活動をしたいに違いない」と決めつけないでください。まだまだローカルプレイヤーの教室は始まったばかりです。頭も心もやわらかくして進めていきましょう。

■ポイント❷ パッと思いついたことを捨てない

2つ目のポイントは「パッと思いついたことを捨てない」ということです。というのも、昔のことを思い出していくと「そういえば昔はこんな仕事に就くのが夢だった」とか「昔はこんな趣味があったんだなぁ、今は全然やってないけど」とか、派生していろいろと思い出します。

例えば趣味のことで言えば「昔はあんな習い事をしていたけど、今は全くやってないし、ほとんど忘れちゃったし……もう関係ないよね」というようにパッと思いついたことを捨てないでください。それもこれからの活動の何かにつながる可能性があります。

私は昔、ピアノを習っていました。その後、趣味的に続けていた時期もありますが今はほとんど弾けません。しかし、あやせのえんがわを立ち上げてから、あるときイベントで歌をアカペラで歌ってくださる方がいました。私はそのときに「アカペラではもったいない」と思い、たまたま持っていた鍵盤ハーモニカで伴奏を弾くことになりました。しばらく弾いていなかったピアノが思わぬかたちで活かされるなんて、夢にも思っていませんでした。

この事例でいうと、私はピアノの腕が良くないですが、簡単な伴奏くらいはできました。それが、あやせのえんがわのイベントで役立ったのです。どこで何がつながるか全くわかりませんので、あなたが以前取り組んでいた趣味も忘れたままでいるのは、とてももったいないことです。ですから、パッと思いついたことを捨てないでください。

ポイント❸　多角的に捉える

3つ目のポイントです。これまでたくさんの思い出や体験、そこから派生して忘れていた趣味や将来の夢を思い出していただきました。それらのエピソードを多角的に捉えてみてください。

例えば、今思い出していただいたことは、おおむね一人称ですよね。「私の思い出」「私の体験」「私の趣味」「私の夢」です。それらを三人称にしてみましょう。あなた以外の人からは、どのように見えたでしょうか。あなたの思い出や体験は、周りの人にどのような影響を与えましたか？　もしかしたら、あなたの輪に入れなかった人や、否定的な人がいたかもしれません。その人たちはどのような想いだったのでしょうか？　なぜ否定的だったのでしょうか？　複数の視点を持つことで、あなたの体験を俯瞰して見ることができます。これからつくるストーリーが独りよがりにならないように、さまざまな視点を持つことができます。

もちろん、良い体験の前後には苦労や失敗、しくじりなどもあるでしょう。これらは忘れたい出来事かもしれませんが、一度だけ振り返ってみましょう。なぜなら、同じ失敗や過ちを繰り返さないための学びになるからです。

そして、そのときにどんなことをしたらさらに良かったでしょうか？　もう過去には戻れませんが、大切な事例として次につなげる大きな気づきとなるはずです。その気づきをあなたのストーリーに組み込むことで、より共感を得られるでしょう。

ポイント❹　エピソードを一言でまとめる

最後のポイントです。**そのエピソードは一言で言うとどういうことですか？**　難しいとは思いますが、少し強引にでも一言でまとめてみましょう。そうすると、深く掘り下げた一つひとつのエピソードにタイトルのようなラベルがつきます。それは、ちょっとしたまとめのようなものです。掘り下げたままでは漠然とすることもありますので、それぞれラベルを貼っておくと、いつでも頭の引き出しから出せるようになります。

ストーリーづくりのまとめ

嫌なことも含めて、たくさん思い出してくださりありがとうございました。少し整理していきましょう。

まず、すでに地域で活動したい内容が決まっている人は、ストーリーを考える際にこのワークを活かしてみてください。もしかしたら考え方が変わったり、新しいアイデアが浮かんだりするかもしれませんが、それは可能性が広がった証拠です。最初に考えていた内容も捨てずに大切にしてください。

次に、まだ活動したい内容が決まっていない人は、このワークからとりあえずやってみたいことを決めてみましょう。いきなり完璧なアイデアを生み出す人はいません。まずは一歩を踏み出す準備をしましょう。自分が「今」できることからコツコツと。そのアイデアをもとに、この先へ進んでみてください。

最後に、すでに活動をしている人は、現在誰かに語っているストーリーをブラッシュアップするアイデアとして、このワークを使ってみてください。今まで語ってきたストーリーも新たな視点を持つと、より多くの共感が生まれるでしょう。

あなたのストーリーはあなたが一番上手につくれます。例えば、メンタリングや壁打ちなどの相談援助で新たな気づきもあるかもしれませんが、一番しっくりくる答えはあなたが持っているはずです。また、誰かに相談することは相手との「関係値」がとても大切になってきます。あまり信頼していない人に相談してアドバイスが返ってきても……、何だかピンときませんよね。その点、自分で自分を掘り下げていくことは誰との関係値も必要ありません。あなたは自分を信じるだけで良いのです。

ミニ対談

これから始めるローカルプレイヤーの方々が前向きな気持ちで進めるように、足立区のローカルプレイヤー・中島さんと一緒に、「地域の肯定感」について考えました。

中島さん（右）

中島正行さん

らんたん亭代表　写真家

1996年生まれ。学生時代にフリーランスカメラマン、写真家として活動。大手家電量販店販売員を2年勤め、2021年に足立区で任意団体「らんたん亭」を設立。「自分と向き合い、人とつながる、対話の広場」をスローガンに掲げ、中高生から大人までの居場所ときっかけを届ける場になるべく、中高生対象の子供食堂「中高生ｃａｆｅ」、ワークショップ、展示、隠れ家酒場などを行う。料理、ＤＩＹ、写真などの自身のなりわいを通して、しぶとく豊かに生きれる方法を探っている。

森川：らんたん亭の隠れ家酒場は特殊なスタイルですよね？

中島：（客席は）８畳の部屋に大きなテーブルがひとつだけ、強制的な宴会です（笑）。

森川：初めて行った人が、最初は普通に飲んでいるけど、お酒が進むと気がついたらみんなで話していて……。

中島：仲良しになるんです。だいぶ特殊だと思います。

森川：その酒場で良い雰囲気になっているときって、どんな感じですか？　どのように人がつながっていきますか？

中島：僕が何かをしてつながるということは意外と少なくて、お客さんの中でらんたん亭の想いや気持ちを理解してくれる人がいて、その人たちに助けられながら、お客さん同士がつながっていきます。
あとは、以前ＤＩＹで天井を抜き（※）、山小屋みたいなあったかい雰囲気になりました。その雰囲気に、自然と人をつなげる力があると思います。

※らんたん亭は2022年11月に、開設1周年を迎えるにあたり、建物の天井を取り壊し、梁を見えるようにするための工事のクラウドファンディングを行いました。そして、その取り組みは見事サクセスしました。

森川：クラウドファンディングで資金を集めて、天井を抜きましたよね？

中島：多くの方のお力添えをいただきました。

森川：らんたん亭に関心や魅力を感じる人は、どんな人たちですか？

中島：うちは文脈が多いな、と思っています。「アート」という文脈と、「福祉支援」という文脈で、この掛け合わせをひとつの拠点で運営するのは珍しいことなので、そこに興味を持って来てくださる方が多いと思います。

森川：コミュニティの運営で「ごちゃまぜ」みたいな表現をすること

が多いけど、実際にはごちゃまぜって難しくて、ただごちゃごちゃになっちゃうことも多いんですよね。「らんたん亭はごちゃまぜにしよう！」とか、「つなげよう！」とか、そういう雰囲気ではなくて、結果的に良い相乗効果やコラボレーションが生まれていますよね。

中島：僕は「アート」と「福祉支援」が分かれていることにやや違和感があって、どちらも生きるということ自体から出てくるものなんだと思っています。暗い部屋で一人でポツンとやっているのではなく、一輪の花を飾るだけで気持ちが豊かになるようなことを目指したい。豊かに生きるために、みんなで支え合うということを、らんたん亭の事業としてやっています。

森川：地域の肯定感も、地域の人々が豊かに生きるための支え合いから広がっていくのかもしれませんね。中島さんご自身の自己肯定感はどうですか？

中島：自己肯定感は普通……少し高い方ではあると思います。でも、らんたん亭の天井を抜いたときに自己肯定感がめちゃくちゃ上がったんですよ(笑)。これは僕にとって、とても大きなことなんです。

まず、初めてのクラウドファンディングで多くの方にご協力いただいて、ありがたいなという気持ちになって。そして、共鳴してくれる数人と天井を抜いて、自分が満足できる空間をつくって、そこで暮らしたり（当時はらんたん亭に住んでいた）、いろいろなことをすると、どんなことがあっても生きていけるなという気持ちになりました。

お金はなくても、何とかできる知恵と力、友情関係があれば、絶対何とかなると思える、心のベースが確立されました。

森川：「困難があっても、チャレンジすれば何とかなる」というような考え方を地域の人々が持つことは、地域の肯定感そのものですね。今の話を聞いて、らんたん亭のようにお金に頼らず知恵や友情関係で課題を乗り越える地域をつくりたいと思いました。

足立区民放送「ざんぱらさんとえんがわさん」

YouTube チャンネル「足立区民放送」（制作：Office Stray Cat）にて放送されている番組。

高校生向けの演劇ワークショップなどを主催する「ざんぱら企画」の金子ざん（ZAN）と、あやせのえんがわの森川公介が、週替わりで MC を務めている。

森川の回は「足立区の人と足立区の話」をテーマに、さまざまなローカルプレイヤーをゲストにお招きしている。

第 2 章

ローカルプレイヤーの教室
始動編

自分を知ろう

第1章では、ローカルプレイヤーとしてのストーリーをつくりました。やりたいことが決まっている人も、決まっていない人も、ローカルプレイヤーの入口を開けるために、まずは生活歴を振り返るワークを行いました。これには「こんなことがやりたいに違いない」とか「これをするには、この方法しかあり得ない」といった思い込みを解消する意義もありました。

それでは、入口となる第2章の始動編へ入っていきます。始動編は大きく分けて2つのポイントに分かれています。それは「自分を知る」と「相手を知る」です。ローカルプレイヤーは、地域のつながりの中で自己実現する人です。自分を知ることをポイントにやりたいことを決め、地域でつながる相手を知ることで活動をブラッシュアップします。

まずは「自分を知る」です。といっても、心理テストのように性格傾向や潜在的な才能を探るものではありません。あなたがローカルプレイヤーになる上で必要な「自分を知る」というワークになっています。ここからは具体的にやりたいことをイメージしながら進めていきましょう。第1章を踏まえて、やりたいことが決まっている人や、すでに活動を始めている人は「やりたいこと」を、やりたいことが決まっていない人はストーリーづくりでとりあえず決めた「やりたいこと」をイメージしてください。2つの視点から考えてみましょう。

起業視点でやりたいことを考える

まずは「起業視点」です。「いやいや私は起業しませんから」という方も、ちょっとだけお付き合いください。第1章でも書きましたが、企業には「MVV（ミッション・ビジョン・バリュー）」という経営方針があります。MVVについてはさまざまな説明ができるのですが、この本ではローカルな視点でMVVを考え、以下のように定義します。

Mミッション・・・今できること

Ｖビジョン・・・将来なりたい姿、未来に実現したいこと
Ｖバリュー・・・これをやる・やらないの判断基準

このＭＶＶで私が特に伝えたいことは、ミッションの「**あなたが今、何ができるのか**」を知ることとです。「やりたいこと」と「できること」はニュアンスが違いますよね。あなたがローカルプレイヤーとしてやりたいことは、現時点でできることとどれだけ近いですか？　イコールだったり重なっていれば良いのですが、もしも遠いようであれば、少し近いことから始めていったほうが良いです。例えば「やりたいことを実行するためには３年かけて資格を取らなくてはならない」とか「1，０００万円集めなくてはいけない」という状況であれば実現に時間がかかります。もう少し、今できることに近づけて考えてみてください。第1章のストーリーづくりを活かしていただければ、今できることがわかるはずです。

そして、ＭＶＶの視点は地域活動としても、方針決めなどのさまざまな場面で参考になるのでぜひ考えてみてください（ちなみに多くの会社はＭＶＶをホームページで公開しているので、参考までにご覧ください）。

地域活動視点でやりたいことを考える

もうひとつは「地域活動視点」です。一般的な地域活動の視点を知り、やりたいことのヒントにしましょう。

多くの町で実施されている地域活動、例えば子ども食堂やフードバンク、ゴミ拾い活動に傾聴ボランティア、これらの活動の一般的な流れは、地域の中に「課題」があり、そのために自分が「できる」ことを実践します。その実践では、地域の将来がどうなってほしいのか?という「目的」があるはずです。**あなたのやりたいことはどのような地域課題や目的とつながりそうですか?**「私のやりたいことは課題解決ではなくて、新たな価値を創造するものだから、この話は関係ないな」という人も、あなたの活動は地域の課題と重なる部分があるはずです。ぜひイメージしてみてください。**やりたいことと地域の関係をイメージすることで解像度が上がってくるはずです**(図2 - 1)。

さて、「自分を知る」の導入として、どうしても書きたいお話があります。

図2-1：地域活動視点

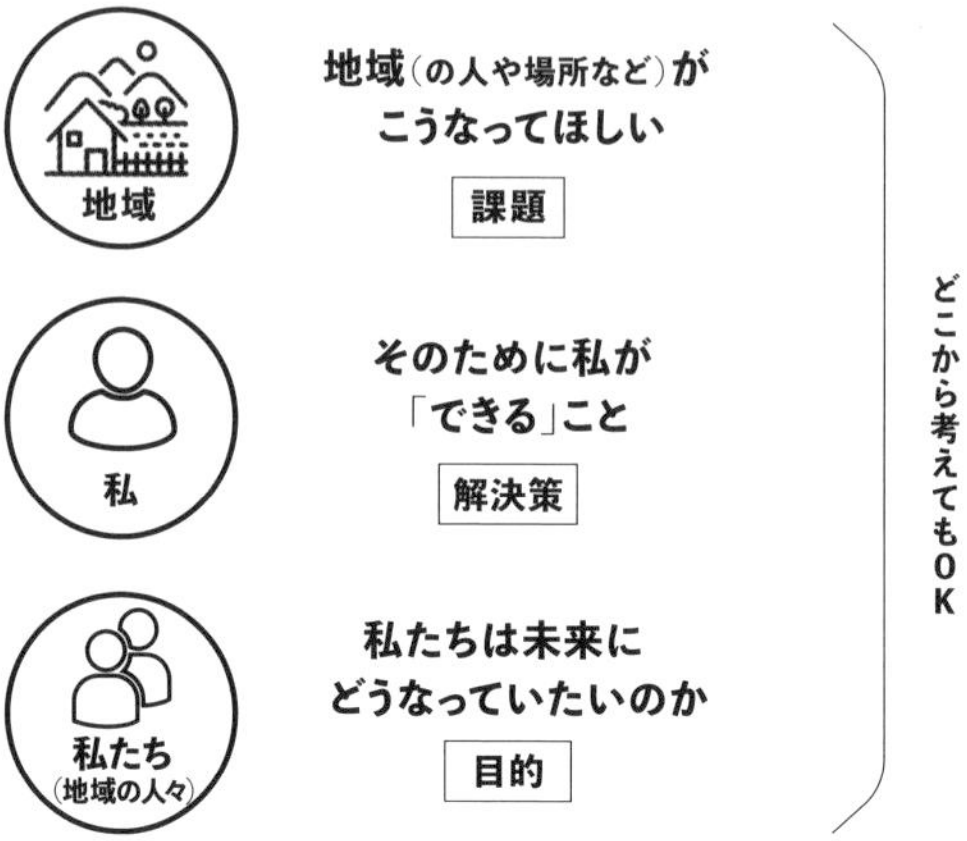
地域
地域（の人や場所など）が
こうなってほしい
課題
私
そのために私が
「できる」こと
解決策
私たち
（地域の人々）
私たちは未来に
どうなっていたいのか
目的
どこから考えてもOK

実は、私は自己肯定感の低い人間です。自己肯定感の低い人はさまざまなことを否定的に捉えて不安になります。しかし、この能力が多くの場面で私を救うことになります。例えば介護職時代の経験で、退院を迎える高齢者の調整をすると、多くの不安が頭から離れなくなることがよくありました。何か失敗をするのではないかと常に自分を疑い、具体的に失敗したイメージが頭をよぎります。そうすると、○○に抜けはないか?とか、××に連絡ミスはないか?と何度も確認するようになり、結果的にはヒューマンエラー（人為的ミス）が減りました。

当たり前ですが、この本を読んでいる皆さんの性格はそれぞれです。いつも元気な人や明るい人もいれば、ちょっと繊細だったり落ち込みやすかったりする人もいると思います。私自身はどちらかといえば繊細な性格であり何事も悪く考えがちなので、同じような性格の人にもローカルプレイヤーになることを応援したいという想いがあります。そのために、ネガティブな思考から実践につなげる方法についてお話しします（図2-2）。

ネガティブ思考を活かす❶ スケーリングクエスチョン

ここでは2つの考え方をお伝えします。

まずはスケーリングクエスチョンです。スケーリングクエスチョンとは、点数をつけて物事を考えてみる手法です。例えば、子どもの支援をしたい人が地域活動を考えたときに「私なんて資格もないし、仲間もいないし、特技もないし……」と負の思考が連鎖してきたら、点数をつけるように客観視しましょう。資格も特技もなく、手伝ってくれる仲間がいなくても、もしかしたら理解者が1人いませんか？　もし、そんな理解者が1人いたら

図2-2：ネガティブ思考を活かす

スケーリングクエスチョン
自分の苦手なところに
点数をつけてみましょう
どうすれば点数が
上がるでしょうか？
サポーター
自分の苦手なところを
補ってくれる人や
自分の魅力を
引き出してくれる人は
どんな人でしょうか？
仮説を立てる
自分はこんなことができるのでは？

1点追加です。その人に相談できたらもう1点追加です。あるいは、できることがないかインターネットで調べたら1点、相談窓口を見つけたら1点、相談しに行ったらさらに1点。また、特技がないというのも、ただ忘れているだけかもしれません。絵や楽器、スポーツなどの一般的な特技がなくても、人の話を聞くのは上手だったり、植物を育てることは得意だったりしませんか？　それも立派な特技です。そんな特技を思い出したら、1点追加してくださいね。こうして1点ずつ増やしていけば、いつか必ず100点になります。1点取れた自分を褒めながら進んでいきましょう。

■ネガティブ思考を活かす❷　サポーター

もうひとつの考え方はサポーターです。これは、自分の活動を直接助けてくれるサポーターのことを指してはいません。もっと些細なことです。

先ほど、私は自己肯定感が低いとお話ししましたが、そんな私には自己肯定感の高い知人が多くいます。彼らの話を聞くと、物事や出来事に対するポジティブな思考にビックリし、少し羨ましいと思うくらいです。私の場合、そのような自己肯定感の高い人としばらく話していると、一時的に自己肯定感が高まってきます。そして、自分の中で行き詰まっているような困りごとや悩みを、一瞬ポジティブに考えることができるのです。自己肯定感が高い知人たちには自覚はないかもしれませんが、私の立派なサポーターです。

このように自分の活動と直接関係のない人でも、自分にはない部分を持っている人と話したり遊んだりすると、一時的に考え方が変わり、思わぬ視点に気づくことがあります。あなたの周りにそのような人はいませんか？　ぜひ、そんなサポーターを探してみてください。大切なのは、その人と別れた後にどんな会話をしたか振り返ることです。「あのときのあの発言すごかったな」「あの人が私の〇〇を褒めてくれたのは印象的だったな」など、振り返ることで気づきが生まれます。

少し繊細だったり落ち込みやすかったりする人も、この2つの考え方から「自分はこんなことができるのでは？」「こういう活動なら心の負担が少ないのではないか？」と仮説を立ててみると、はじめの一歩が踏み出しやすくなります。私のエピソードの中にある「自己肯定感の低さはヒューマンエラーを防ぐのではないか」というお話もひとつの仮説であり、今でも私はイベントを段取りするときにこの能力を活かしています。

自分を知るための4つのポイント

それでは、自分を知るためのワークをしていきましょう。あなたがローカルプレイヤーになる上で必要な「自分を知る」ポイントを4つ挙げていきます。

ポイント❶ ミラクルクエスチョン

1つ目のポイントは「ミラクルクエスチョン」です。ミラクルクエスチョンとは、**現在の課題や問題が奇跡のように解決したときをイメージして目標や計画を考える手法**のことです。

実はこのミラクルクエスチョン、あなたも使ったことがあるかもしれません。それは「宝くじで3億円当たったらどうしますか？」という例です。テレビCMなどを目にすると、「3億円あったら……」とつい考えてしまいますよね。「3億円当たったら、大好きな沖縄に家を買って移住して、趣味のサーフィンをしながらマリンスポーツに関わる活動をしたい」という人の場合を考えてみます。「3億円当たったら」という部分を外して、「大好きな沖縄に移住してマリンスポーツに関わる活動をする」という目標に変換してみるのです。3億円が当たらなくても、沖縄で家賃が支払えそうな部屋を探して、地元で働きながらサーフィンをすることはできそうな気がしますよね。サーフィン仲間ができたら、マリンスポーツの活動を始める糸口が見つかるかもしれませんね。長く住めば地元の人とも親しくなり、買えそうな家も見つかるかもしれません。このように、解決が難しい課題や問題はいったん脇に置いておいて、目標や計画を立ててみるのがミラクルクエスチョンです。

宝くじの例でお話しするのにはワケがあります。やはり、どんな活動でもお金が課題になるからです。「こんなことをしたい、しかし元手がない」というのは地域活動でよく聞く嘆きです。しかし、お金さえあれば活動が大成功するでしょうか？　例えば地域の居場所づくりをしたいと考え、潤沢な資金で立派な建物ができたとして、それだけで地域の人々が集まる居心地の良い場所になるでしょうか。あなたのストーリーや実現したい夢などが地域の人々に伝わらないと、顔の見えない謎の場所となってしまいます。

自分のやりたいことが大成功したらどうなっているかを具体的にイメージすることは、目的の明確化や夢の言語化につながります。言語化されたら、きっと共感する人が自然と増えるでしょう。

ポイント❷　明確な課題に結びつけてみる

２つ目は**「やりたいことと地域課題を結びつけてみる」**ことです。先ほどの「地域活動視点」と近いですが、もう少し具体的なお話です。各自治体にはおおむね「基本構想」をもとにした「基本計画」と呼ばれる総合計画があります。名称はそれぞれですが、自治体の運営方針の基本となる計画です。私はこのような計画があることを起業するまで知りませんでした。

「計画」というくらいですから、地域の現状を把握し、課題を特定し、それらに対する方針や目標が設定されています。内容は地域経済から就労支援、教育から地域活性化まで多岐に渡ります。その基本計画からさらに分野が分かれ、教育や環境などの個別計画もつくられています。それらのほとんどは自治体のホームページで公開されています。もちろん全部読むのはとても大変ですが、自分を知るポイントとしてあなたがやりたいと思っている活動に近い部分を読んでみてください。あなたが活動したい内容に関する地域の現状や課題がとても詳しく書いてあります。読んでみると「私のやりたいことって、地域のこれを解決したいってことじゃないかな」という認知につながる可能性があります。その認知から、あなたのやりたいことがどんな人に求められているか気づくことができ、やりたいことがより具体化していきます。そして、誰かに説明するときの根拠にもなります。

■ポイント❸　はじめの入口まで戻ってみる

3つ目は「はじめの入口まで戻ってみる」ことです。ここまで順調に考えてきたのに、はじめの入口まで戻るのはストレスかもしれません。何事も決まりかけた話を白紙にするのはとても負担のかかる作業です。しかし、自分を知るワークの中では重要です。はじめの入口まで戻ってみるというのは、いわゆる「そもそも論」です。つまり、あなたがやりたいと思っていることは、「そもそもなぜやりたいのですか?」という問いです。ここで第1章のストーリーづくりが活かされます。やりたいことに対するストーリーがあれば、そもそもなぜやりたいのかが説明できるはずです。

このポイントはいつでも使えます。あなたが第2章のワークを終えて次に進むときも「そもそもなぜやりたいのか？」という視点を何度も思い出してほしいです。新しいアイデアやチャンスがあるときは、つい実現に向けて夢中になってしまい、そもそもなぜやりたいのかを忘れがちです。地域活動でいうと、あなたがやりたい活動に関する助成金があるとします。「これはチャンスだ」と助成金申請に夢中になり、助成金の要件や趣旨に近づけようとするあまり、そもそもなぜ自分がそれをやりたいのかを見失ってしまうことがあります（私もその経験があります）。あなたがやりたいと思ったことには、きっかけや動機になる軸があるはずです。その軸がブレないようにするために、このポイントはとても大切になります。

ちなみに「そもそも論」は会議やグループワークにも有効活用できます。アイデアが出てこないとき、あるいは出過ぎて収拾がつかなくなったときは「そもそも私たちはなぜ、これをやるんだっけ？」と皆で考えてみることをお勧めします。大切な軸を思い出せます。

ポイント❹　誰に届けたいかをより明確化する

4つ目のポイントは「活動を誰に届けたいかを明確化する」ことです。事業でも社会貢献でも、何かを計画する上ではターゲットを考えます。どんな人に届けたいですか？　実在しない人を想定することもありますが、今回はより具体化・明確化しましょう。そのためには、一人でもいいので実在する人をイメージしてみてください。

例えば、あなたは子どもの公園遊び活動を立ち上げたい人だとします。

「○○市の子どもを対象にします」では漠然としたターゲットです。

もう少し範囲を狭めて「○○駅周辺の子どもを対象にします」「○○公園近隣の子どもを対象にします」とするとイメージが少し具体的になりますね。

さらにもう一歩です。架空の人物ではなく、実在するあなたの知人で考えてみましょう。

「Aくんは○○公園の前にある集合住宅に住む小学1年生です。Aくんの両親とあなたは友達です。Aくんの両親は共働きでシフト勤務をしており、土日に休めないこともあります。Aくんはこれまで公園で遊ぶ機会が少なく、最近友達と一緒に遊ぶ際、公園の遊具を上手く使えず公園遊びが怖く感じるようになりました。私は○○公園を拠点として、Aくんのような公園遊びに苦手意識を持っている子どもを対象にして活動します」。

繰り返しになりますが、Ａくんも Ａくんのご両親も実在するあなたの知人です。このような想いで始めた公園遊び活動は、地域の中で近い経験を持つ親御さんに共感されることでしょう。

自分を知る視点として、あなたのやりたいことを誰に届けたいのか「よりローカルな視点」で考えてみましょう。実在しない人をイメージするよりも、身近にあなたのやりたいことを届けたい人がいるかもしれません。その人のことを考えると、あなたのやりたいことの目的やメッセージが具体的に表現できます。

自分を知ろうのまとめ

第1章で「無理にストーリーをつくらない」と書きましたが、それは第2章も同じです。無理に自分を知ろうとしないでください。無理やり結論を出そうとすると苦しくなり、つまらなくなってしまいます。今ご紹介した4つのポイントは「もしも？」「そもそも？」と頭がゴチャゴチャになるかもしれませんが、このワークからローカルプレイヤーになる上で必要な「自分」への理解が高まります（図2-3）。ピンとこなかったポイントは無理に考えず、ちょっと**ワクワクしたポイントをぜひ深堀りしてみてくださいね。**

図2-3：自分を知るための４つのポイント

ミラクルクエスチョン

自分のやりたいことが大成功したら
どうなっているかを具体的にイメージする

明確な課題に
結びつけてみる

自分のやりたいことと結びつく
地域課題を調べてみる

はじめの入口まで
戻ってみる

そもそもなぜやりたいのですか？

誰に届けたいかを
より明確化する

実在する人をイメージしてみてください

相手を知ろう

続いてのワークは「相手を知ろう」です。あなたのやりたいことを実現する上で、相手を知るということは大切な視点となります。例えば、素晴らしい歌声を持ったボーカリストであっても、歌を聴きたいと思う人がいない場所では歌声を披露する機会は巡ってきませんよね。あなたのやりたいことが「誰のどんなニーズを満たすか」を知ることがカギになります。

これは少しつらいワークになるかもしれません。なぜなら、考えれば考えるほど「自分のやりたいことなんて誰にも求められないんじゃないか」と悪い方向に考えてしまう可能性があるからです。しかし、届け方次第できっとあなたのやりたいことは誰かに伝わります。そのための「相手を知ろう」です。

まず、地域の中の「相手」とは誰なのかを見ていきましょう。

地域の中にはさまざまな人が暮らしています。知人もいるし知らない人もいる。これがパブリック（公共）ですね。その中にコミュニティがあります。コミュニティは大きく2

つに分けられます。

地縁型・・・住まいの縁でつながっているコミュニティ（町内会、自治会、商店街、消防団など）

テーマ型・・・関心事や趣味などでつながっているコミュニティ（サークル、子育てサロン、スポーツセンター、NPOなど）

共感型コミュニティ

私はローカルプレイヤーの活動の場として、もうひとつのコミュニティがあると思っています。それは、地域的な結びつきや特定の関心事に基づくものではなく、むしろ他者に共感する瞬間から生まれる「**共感型コミュニティ**」です（図2-4）。ここでは共感する人々の対話や協力が生まれる場となり、つながりが循環します。

コミュニティにはさまざまな人のつながりがありますが、人とつながるポイントのひと

図2-4：地域とコミュニティ

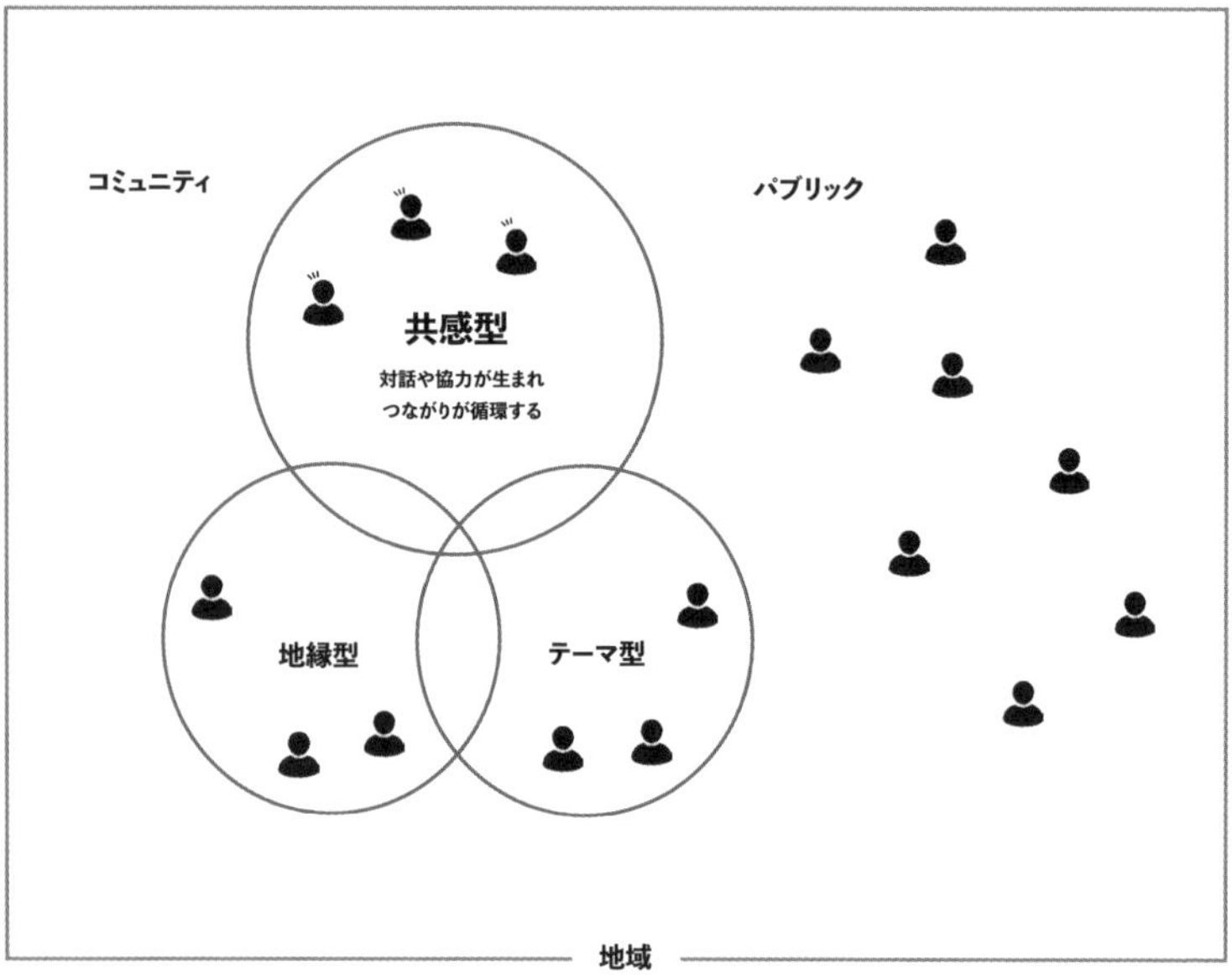

つが共感です。共感は地域の人と関わる上で大事なポイントになりますので、深く掘り下げていきましょう。

そもそも「共感」とは、思想や主義主張などが自分と同じ、あるいはとても似ているときに感じる心の動きです。相手と想いを共有したいという感受性が生まれます。

つながるポイントには親近感もあります。身近な親しみなどを指す言葉です。例えば「私はあの人と洋服の趣味が似ている」ということは、共感というより親近感に近いと思います。また、同郷や同じ学校の卒業生、職種が同じことなどでも親近感が湧きます。

対話から共感が生まれる

私たちは暮らしの中でいろいろな人と会って、知らず知らずのうちに共感を抱いています。特に共感が生まれるのは対面で会話をしたときです。ローカルプレイヤーは地域の人と会って話す機会がたくさんあります。

そこで、人と話すパターンを大きく3つに分けてみました。

議論・・・お互いの立場をもとに意見をぶつけ合い、結論や答えを出す
対話・・・一定のルールのもとにお互いの考えを聴き合い、相互理解を深める
雑談・・・その場任せで目的やテーマ、ルールなどを設定せずに話す

お互いのことを本当に理解した上で起こる共感は、対話がカギとなります。なぜなら、対話はお互いの「理解を深めること」が目的だからです。対話は簡単そうで案外難しかったりします。対話ができているようで実はできていないということはよくあります。

例えば親子の会話で、親が子どもの考えを理解しようと対話しているつもりでも、どこかで「それは○○をしなかったからダメだったんだ」「今度は××をしなさい」と意見をぶつけてしまいます。そうなると親子喧嘩になってしまうかもしれません。しかし、この例で考えると、親はなぜ子に意見をぶつけてしまうのでしょうか。そこには、さまざまな背景や生活歴があるはずです。我が子に「自分と同じ失敗をしてほしくない」とか「絶対にこうしたほうがいい」という想いが背景にあると思います。しかし、子ども側にも私情があって、親の発言の背景まで察することはなかなか難しいですよね。

しかし、他人であれば私情も少なく、フラットに背景を知ることができます。「なぜ、そのように考えたのですか？」と聞けるからです。これが対話です。私は**相手の背景を知った上で共感する**ことが、本当の共感であると考えています。

対話から活動のヒントが生まれるリフレーミングと例外探し

また、対話をしていると困りごとや悩みを聞く機会があります。それらはさまざまな背景から課題が重なり合っていることもあり、あなたのアドバイスだけで解決するのはなかなか難しいでしょう。しかし、誰かの悩みから自分のやりたいことのヒントが見つかることもあるかもしれません。そのヒントを見つける2つの方法をご紹介します（図2-5）。

リフレーミング・・・見方や視点を変え、ネガティブな捉え方をポジティブに変える

例外探し・・・困難な課題に対して、例外的な成功から解決方法を見つける

図2-5：誰かの困りごとが活動のヒントに

この2つの方法は、解決できない状況（維持）から、解決するようになる（チェンジ）という流れであり、対人援助やカウンセリングで使われる手法です。本来は相談者の課題解決を目的としていますが、これを自分のやりたいことのヒント探しとして使ってみましょう。もちろん、自分のやりたいことを相手の困りごとに寄せて考える必要はありません。しかし、相手の困りごとの見方を変えると、あなたができることにつながることもあります。あなたのやりたいことや得意なことが地域の誰かをやんわりと救うプロセスは、あなたも地域も幸せになる循環です。資格やスキルを持っていなくても、地域の中であなたができることはたくさんあるはずです。

誰かの悩みを聞いたら、ぜひヒント探しをしてみてください。

相手を知るための４つのポイント

それでは、相手を知るためのワークをしていきましょう。あなたがローカルプレイヤーになる上で必要な「相手を知る」ポイントを４つ挙げていきます。

ポイント❶
あなたのやりたいことと相手のニーズの合致点を探す

１つ目のポイントです。それは「あなたのやりたいことと相手のニーズの合致点を探す」ことです。ニーズとは簡単に言えば「必要性」という意味ですが、あなたがどんなに素晴らしい活動を始めたとしても、誰かのニーズと合致しなければ自己満足になってしまいます。知り合いや友人に頭を下げて活動に参加してもらい、何とか最初はかたちになっても……持続していきません。ただし、あなたは先ほどのワークで「自分」を知っている状態ですので、多くの人と出会い、対話をすれば、あなたの活動と関係するニーズが見つかるはずです。「○○が大変」「いつも○○で困っている」という話は、日常的にもよく出る話題だと思います。あなたのやりたいことが、誰かの困りごとと関係するかもしれませんので、そのような話を聞いたときには少し気に留めておくとよいです。

ただし、発言だけを捉えると誤解があるかもしれません。ニーズには表面的ニーズと潜在的ニーズがあります。例えば「最近運動不足だから、気軽にできるスポーツがあればやりたい」と話す人がいたとします。これが表面的ニーズです。よく話を聞いてみると「気軽にスポーツを楽しめるような仲間がほしい」というニーズでした。これが潜在的ニーズです。潜在的ニーズは、本人も自覚していない可能性があります。そして、潜在的ニーズがその人にとって真のニーズとなることが多いです。このように、発言の表面だけを捉えずに、よく話を聞いてみることでニーズの本質を知ることができます。

また、個人単位ではなく、地域住民の総合的なニーズもあります。自治体は多くの住民アンケート調査を行っていますが、例えば、「子どもの遊び場が少ない」という意見が多く出れば、それは住民のニーズになります。ただし、実際に子どもの遊び場が少ないケースもありますが、子どもの遊び場がたくさんあるのにこのような結果が出たとしたら、その認知や使い勝手に問題があるのかもしれません。このように、複数人のニーズは多角的な捉え方があるのでよく調べることが必要です。

ひとつ注意が必要なのは、ニーズに寄せることにばかり意識して、あなたのやりたいことの軸を変えないことです。今あなたが知っている人のニーズだけが全てではありません。焦らずにさまざまなニーズを探してみましょう。

ポイント❷ 「良いね」と「ほしい」の違いを知る

2つ目は「良いね」と「ほしい」の違いを知ることです。

もしもあなたが100人にプレゼンテーションして、「良いですね」と関心を持ってくれた人が50人だったとしても、実際に利用してくれるのは1人かもしれません。これが良いとほしいの違いです。50人が良いと思っても、ほしいと思ったのは1人ということです。

先ほどの子どもの遊び場の例でいえば、子どもが遊べる公園がほしいというニーズがあり実際に公園がつくられたとしても、子どもが行きたいと思わないような公園なら行きませんよね。公園は公園でも、子どもたちがほしいと思う公園ではなかったということです。

あなたがやりたいことは少なくとも「良い」ことだとは思います。その先にある、相手のどのような「ほしい」につながるかをイメージしてみましょう。このポイントは収益化を重要視している内容ではありません。あなたのやりたいことを、さまざまな人に届けるメッセージづくりとして考えてください。

ポイント❸　相手の立場に立ってやりたいことを磨く

3つ目のポイントは、相手の立場に立ってやりたいことを磨くことです。そのためにひとつお勧めの方法があります。それは自分のやりたいことと近い全国の事例をたくさん調べることです。自分を知るポイントの「地域課題を結びつけてみる」と近い作業かもしれませんが、今度は事例です。居場所づくりをやりたいなら全国の居場所づくりの事例を、哲学カフェがやりたいなら全国の哲学カフェの事例を、インターネットや書籍などで調べてみましょう。私もこの作業で多くの時間を使いました。

相手を知るポイントでなぜ事例を調べるのかというと、事例はすでに実施されている活動やプロジェクトですから、参加者（相手）がいる状態です。事例のレポートでは実際に、どんな年代や性別の人がどのように参加したのかわかります。そして、参加者にどのような効果をもたらしたのかという結論があるはずです。どのような人たちが参加してどのような効果をもたらしたのかを知り、自分のやりたいことと擦り合わせてみましょう。想像していなかったような視点が生まれるかもしれません。

ポイント❹　自分のやりたいことで「相手にどうなってほしいか」を考える

4つ目のポイントはこの本の最大の山です。それは自分のやりたいことで「相手にどうなってほしいのか」を考えることです（図2‐6）。

このポイントは、私がローカルプレイヤーの教室をつくった過程に当てはまるので、そのお話を書きます。

2021年に地域の縁側的スペース「あやせのえんがわ」をつくり、「こぢんまり商店」という事業を立ち上げました。地域の生産者さんの商品を地域の人たちで消費

図2-6：「相手にどうなってほしいのか」を考える

するという趣旨で、地元のお野菜や焼き菓子などを販売しました。これはあやせのえんがわの理念「地域のいとおしい暮らしづくり」の一環です。商店ではいろいろな出会いや体験が生まれました。こういう趣旨なので地域に愛着を持っている方々が多く訪れてくれました。

縁側に見立てた畳の小上がりのスペースでは、地域の人が腰をかけて世間話をしていきます。その中で「森川さんは地域でやりたいことをやるなんていいですね。私も地域で活動したいと思っているのですが、なかなかできません」という話を多く聞き、私と同じような想いの人が多いことに驚きました。実際に活動している方も多く、さまざまなコラボをさせていただきました。もともとは地域の商品が循環する商店だったのに、いつの間にか地域の活動まで循環していたのです。しかし「活動を始めたけど、なかなか上手くいかない」「上手くいかずやめてしまった」という人もいます。私はそのような話を聞く度にモヤモヤした感情が湧きました。

ここで先ほどの図に当てはめて考えてみました（図2-7）。私のやりたいことは「地域の楽しさや愛おしさを知る機会がない」人に、私（あやせのえんがわ）が関わることで、「この地域で暮らすのが楽しいな、いとおしいな」と感じてもらうことです。

どのように関われば変化が生まれるか……。商店は続けながら、何か新しいアイデアが必要だと考えました。そこで、商店で出会った「ローカルプレイヤーの活動」や「地域密着事業」の循環が、地域の愛着につながるのではないかという仮説を立てました。そして、この活動が周りの人に与える影響（魔法）を「地域の中で誰かのやりたいことが実現し、その輪が循環すること」と設定しました。そこから考えて生まれたのがローカルプレイヤーの教室です。

図2-7：あやせのえんがわの例

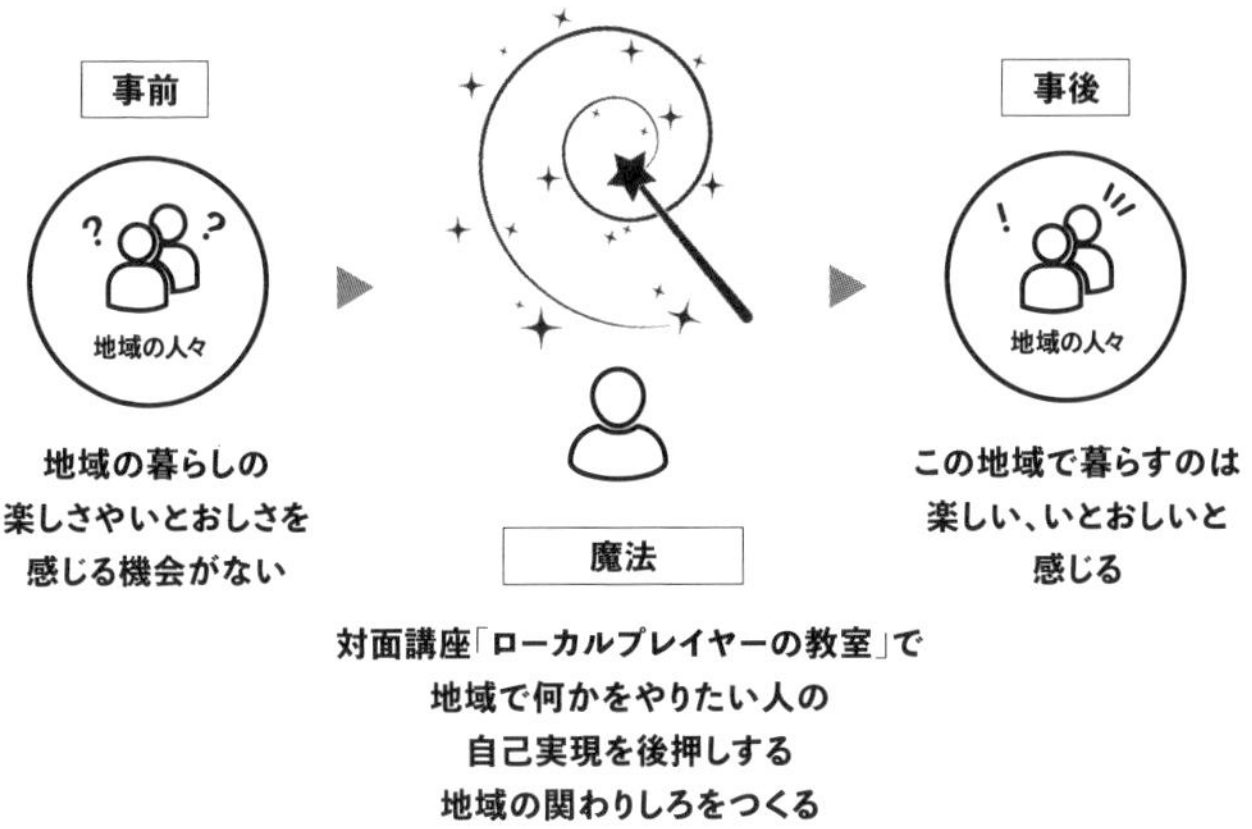
事前
地域の人々
地域の暮らしの
楽しさやいとおしさを
感じる機会がない
事後
地域の人々
この地域で暮らすのは
楽しい、いとおしいと
感じる
魔法
対面講座「ローカルプレイヤーの教室」で
地域で何かをやりたい人の
自己実現を後押しする
地域の関わりしろをつくる

このように、あなたがやりたいことで「相手にはこうなってほしい」と考えたときに、あなたがどう関わると実現するのか考えてみましょう。もちろん人の考え方は多種多様なので、そもそも関心のない人に届ける視点はなくてよいです。私でいうと「地域でやりたいことが全くない人」に届ける視点はありません。しかし、そのような人を否定するつもりはありません。さまざまな考え方があるからこそ、共感する人としない人がいるわけです。また、考え方の違う人が「なぜ違うのか？」と考えることも、あなたの魔法を整える良いヒントになるかもしれません。ぜひ、あなただけの魔法を探してみましょう。

相手を知ろうのまとめ

この第2章はローカルプレイヤーの教室のコアとなる部分です。「私はやりたいことが多くて困る」という人も、このポイントを越えると、あなたの中で湧き出るアイデアの整理がしやすくなります。自分のやりたいことの価値基準を理解して優先順位がつけやすくなり、やるべきこと・やらなくても良いことの仕分けが楽になります。漠然としていたキャンバスのサイズが決まり作業に入れます。

今回は始動編としてご紹介しましたが、あなたがこれから悩んだときもこれらのポイントを考えてみることで、あなたらしい答えが見つかるはずです。特にローカルプレイヤーは、自分の活動とはちょっと違うお誘いを受けることがあります。例えばマルシェの出店です。あなたは子どもの居場所づくりがしたい人だとして、マルシェ出店のお声がかかったとしましょう。あまりに趣旨違いであればお断りしたほうが良いのですが、視点を変えて考えてみると、もしかしたら活動の資金づくりにもなるかもしれません。また、その居場所に集う子どもの自己実現の場になるかもしれません。

あなたがどんな活動をやりたいのか言語化して、相手にこうなってほしいというイメージがあれば、ちょっとカテゴリーの違うお誘いでも良いコラボレーションが生まれることでしょう。

自分を知り相手を知るということは、何を始めるにも必要な視点ですが、バランスが大切です。**自分を知る視点が強いと自己満足に陥りがちですし、相手を知る視点が強いと誰かに振り回されます。**難しいことですが、自分を俯瞰しながらバランスを整えていきましょう。

今、あなたはどんな気持ちですか？

「何がやりたいのかわからなくなっちゃった……」という人もいるかもしれません。私も生みの苦しみをたくさん経験しました。あやせのえんがわをつくる構想も半年かかりました。わからないことを考えるのは苦しいことですよね。そんなときは、第1章のストーリーづくりのように、自分の楽しかった経験や充実していた体験を思い出してみてくださいね。何かヒントがあるはずです。そして、少し頭を休ませることも必要です。一旦やりたいことを決めないまま次に進んでいただくのも良いかもしれません。

逆にやりたいことがしっかり固まった人は山を越えましたので、これからは楽しむような気持ちで進んでみましょう。あなたがやりたいことを楽しみながらつくっていくことが大切です。

ミニ対談

和田さん（右）

これから始めるローカルプレイヤーの方々が前向きな気持ちで進めるように、足立区のローカルプレイヤー・和田さんと一緒に、「地域の肯定感」について考えました。

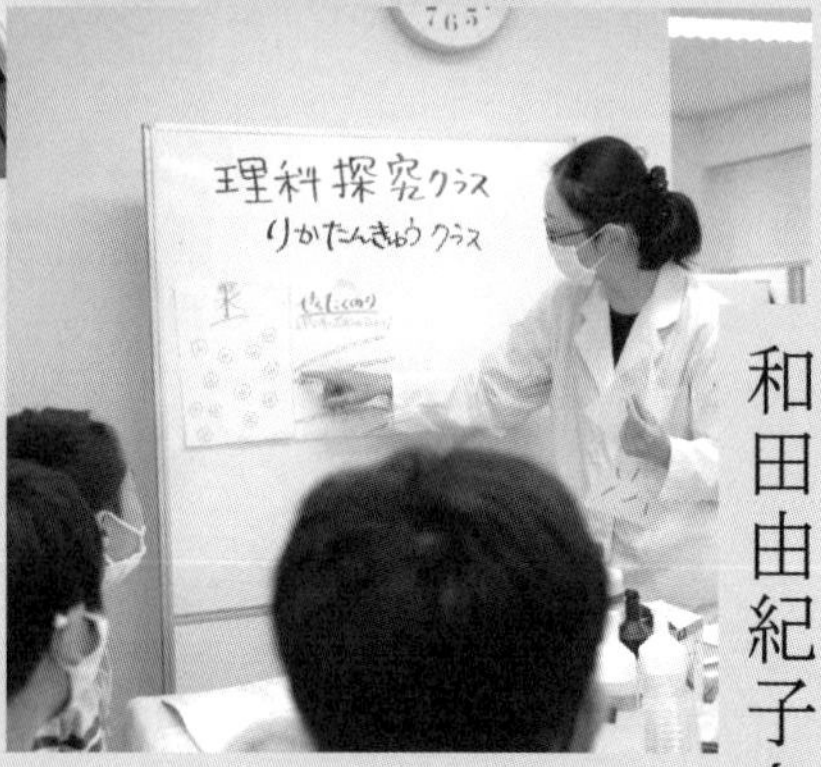

和田由紀子さん

わんだーラボラトリー主催　発達トレーナー
公認心理士　元小学校教諭　学校支援員

元埼玉県小学校教諭。現在は足立区学校支援員。本来の力を発揮できていないように見える子ども達が気になり、シュタイナー教育や心理学を猛勉強。「学習」の前に整えなければならない事がある、と思い、得意な理科を生かした実験工作教室、わんだーラボラトリーを立ち上げ、活動中。

森川：和田さんは学校支援員などで子どもと接していて、落ち込んだりすることはありますか？

和田：ありますねー。一番へこむのは、子どもに否定されたりしたとき。子どもと上手く関われなかったな、という意味でへこみますね。

森川：へこんだときってどうしてますか？

和田：子どものそういう行動は衝動的で、本心じゃないと思い返してみたり。それから、子どもは本当に素晴らしくて、ひどいときもあればそうじゃないときもあって、いつもそうじゃないっていうのに救われています。

あとは、私が昔恥ずかしかったことを思い出して、あんな恥ずかしい思いをした私も今、ここにいる、だから大丈夫と思うと気持ちが保てます。

森川：和田さんがいろいろな子どもたちと接している中で、子どもが直面している課題って何だと思いますか？

和田：体験の少なさですね。体験っていうのが、広義な意味に捉えられるので、体験が少ないっていうと、真っすぐ伝わるか心配なんですけど、例えば、靴の紐が結べない子どもが多いのですが、子どもたちってやったらできるんですよ。でも、機会がない、一緒にやってくれる人がいない、そうするとできるようにはならない。だから、小さな「できた」を積み重ねていくと、自己肯定感につながって、子どもたちが次の「やりたい」を見つけるきっかけにもなっていく。そういう体験がすごく少ないと思っています。

世の中が便利になると、助かる人たちもたくさんいますが、子どもには「ちょっと不便」というのも必要で、そこから成長、発達していくと思います。

どうして「体験」という言葉が、真っすぐ伝わらないかと思ったかというと。体験というの

は、例えば遊園地に行くとか、特別や非日常というのも大切な体験なんですけど、子どもたちが圧倒的に不足していると思うのは、身近な小さい体験で、そこが足りないのが一番の課題だなって感じています。

森川：確かに。体験が少ないのであれば、地域で無料のワークショップをたくさんやればいいって考えになりますが、そうじゃないんでしょうね。

和田：そう、自分もそこを売りとして実験教室をやっているから、伝えるのが難しいのですが……、実験教室という楽しい点を前面には出しているのですが、本当はご家庭の中や地域で体験できる小さなことを、子どもたちにたくさん感じてもらいたい。

森川：大人もそうですよね。便利になっちゃって、お金を出せば何でも買える。便利は自発性を阻害してしまうことがありますよね。ということは、和田さんが考える子どもたちの肯定感というのは、小さな成功体験の積み重ねということですか？

和田：先ほどの遊園地とかの大きい体験って、縦にぐーんと積み上がっているような気がするんですけど、小さな体験って横に広がっていくような感じがします。例えば、風の強い日でも対策して出かける経験が積めれば、別の悪天候の日でも出かける知恵がつきますよね。横に広がったら、その上にまた積めます。縦に一か所だけ積み上げる体験も大事なんですけど、それって崩れちゃうこともあって、土台がしっかりしていると、より高くもいけるし、より広い面でいろいろな人とつながって、また広げていける。私は、横に広げていく体験を子どもたちにしてもらいたいと思っています。

森川：それは、大人側も同じですね。親世代が肯定感を持って、子どもに接するにはどうしたらいいと思いますか？

和田：一番大事にしてほしいのは、恐がらずに何か始めたり、人とつながったりすることです。一人で考えていると、どんどん行き詰まる。足立区ってなんか面白そうなことがあると、人が集まる習性があると思うので、その習性はあなた以外の他人にもあるから、恐がらずに行動したり、つながってみたりしたらいいんじゃないかな。それは、自分にも言い聞かせてますけど。

森川：いろいろやってみて、上手くいかなかったら、落ち込んだり自己否定感が生まれて、それが地域で積み重なっていくと何にもできなくなっちゃう。でも、子どもも大人も、小さな体験を横に広げていくことで、地域の肯定感の土台ができますね。で、落ち込んだときは……。

和田：恥ずかしかったことを思い出す（笑）。

©2024 足立区民放送「ざんぱらさんとえんがわさん」
（制作：Office Stray Cat）

第 3 章

ローカル
プレイヤーの教室
実践編

活動を計画する

第1、2章では、あなたのやりたいことをとことん掘り下げました。第1章の冒頭で「あなたの答えはあなたの中にある」と書きましたが、もちろん完璧な答えである必要はありません。むしろ、少し荒くてもあなたがワクワクするような答えのほうが良いと思います。義務感から生じる「やらされること」はできるだけ減らし、あなたの意思で実践していくことが大切です。地域の中であなたが自発的に活動することが、多くの人の共感を呼ぶことにつながります。

そして、第3章は実践編です。いよいよ活動の計画を立てていきます。これまで考えてきたあなたのやりたいことも、具体的に計画していくと見通しが立たなくて不安になったり、「本当にこんなことできるの?」と疑問に思ったりするかもしれません。この章では、さまざまな活動を地域で実践するための、コツや計画策定のお話をしていきます。

まずは計画を考えていきましょう。一般的な事業計画書で使われる項目を、ローカルプレイヤーの視点で質問形式にしました(図3-1)。白紙の計画書に向き合うというより、

図3-1：計画を考えるための10の質問

10の質問

1. 活動したいことは何ですか？

2. その活動をやろうと思ったきっかけやストーリーは？

3. なぜやりたいのですか？

4. どんな人に届けたいですか？

5. 地域の方々にどのようにして届けたいですか？

6. 活動を始めるために、まずは何をしますか？

7. アピールしたいポイントは何ですか？

8. どんな仲間がいればできますか？

9. どんなことが課題や問題になりそうですか？

10. あなたと地域との関係性は？

この問いに向き合っていくと計画が出来上がるという仕組みです。各質問には、ちょっとしたアドバイスと簡単な例を付け加えています。それではいってみましょう。

1．活動したいことは何ですか？（概要）

いきなりシンプルな質問ですが、言語化するのは意外と難しいですよね。「活動したいことは何ですか？」と聞かれたら、「〇〇です」と答えるのが正しいコミュニケーションです。いろいろと付け加えたくなりますが、長く説明すると「要するに、どういうこと？」と思われてしまいます。「私がやりたいことは〇〇です」と答えると、「もっと詳しく聞きたい（具体的な活動内容）」と思う人もいれば、「なんで〇〇をしたいと思ったのだろう（動機）」と聞きたくなる人もいるはずです。**まずはシンプルに答えることで、相手の関心事に沿って話すことができます。**

例）「絵本の読み聞かせ教室を開催したいと思っています」
「カフェを月1回借りて、趣味の集いができるイベントをやります」

「パンづくりの趣味を活かしたパン教室を始めます」

2．その活動をやろうと思ったきっかけやストーリーは？（動機）

第1章でつくったあなたのストーリーは、この部分に反映されます。しっかりと自分に向き合ってストーリーをつくれば、「なぜそれをやろうと思ったのですか？」という質問で、オンリーワンのストーリーを話すことができます。それが**共感が生まれるポイント**になります。

例）「子どもの頃から絵を描くことが好きでした。最近SNSで自分の絵を投稿していたら、褒めてくれる人がいて、好きなことをシェアする大切さを感じました。私と同じように絵を描くことが好きな人たちが、自分の想いを閉じ込めているかもしれないので、絵を描くことが好きな仲間と一緒に活動したいと思いました」

3．なぜやりたいのですか？（目的）

第2章では目的に関するワークをたくさんしました。目的とは、簡単に言えばゴールのことです。しかし、あなたの活動のゴールはいくつもあるのではないでしょうか。小さなゴール、大きなゴール、さまざまですよね。例えば、地域で紙芝居をやりたいのであれば、「なぜやりたいのか？」という問いに対して、「まずは紙芝居の魅力を子どもたちに伝えたい」というゴールがありますが、その後には「いつか自分も紙芝居を描きたい」とか「紙芝居ができる子どもを増やしたい」などのさまざまなゴールがあるはずです。

「なぜやりたいのか？」という問いの答えには全ての目的が含まれますので、**「まずは〇〇が目的」「最終的には〇〇が目的」と分けて説明できると良いでしょう。**

例）「子育てと地域活動をつなげて、同じ子育て中のママたちが地域でやりたいことをシェアできる場をつくりたいと思います。この活動を通じて、子育てママたちの地域での活躍を促進する環境を築きたいと考えています」

4・どんな人に届けたいですか？（ターゲット）

第2章では「活動を誰に届けたいかを明確化する」というワークがありましたが、まさにそれです。実際に存在するかどうかわからない人に向けて活動するのではなく、具体的にどのような人に対して活動したいのかを言語化することで、届けたい対象がより明確になります。

また、活動を実践していく中で、例えば高齢者向けに実施していたが、実際には若いご夫婦が喜んでくれたというケースがあるかもしれません。**活動の対象は実施する過程で関わる人々のリアクションを観察し、必要に応じて微調整すると良いでしょう。**

例）「地元の〇〇町の同年代の人に向けて活動したいと思っています」
「子どもが〇〇小学校に通っているので、まずは〇〇小学校の児童を対象にします」

5．地域の方々にどのようにして届けたいですか？（方法）

例えば何かを販売するのであれば、賃貸で店舗を借りて販売する、レンタルスペースを借りて販売する、通販で販売するなど、さまざまな方法があります。同じように、あなたの活動もどのような方法で実施するのかを決めておいたほうが良いです。もちろん、始めたばかりの活動は思っていたようにできないかもしれませんが、基本的には「場所を借りる」とか「オンラインで行う」などの**具体的な方法を言語化しておく**と、地域の人が関心を持ってくれたときに依頼しやすくなります。もしも、あなたが決めた方法以外の提案が他から出てきたら、そのようなニーズがあるかもしれないという気づきにつながります。

例）「マンションの集会室を借りて、定期的に開催します」
「まずは市内で出張先を探して、出張講座から始めます」

6．活動を始めるために、まずは何をしますか？（アクション）

計画していく上で、あれこれ先のことを考えると「あれ、最初に何をすればいいのかしら？」とわからなくなってしまいます。**まずは何をするのか**を明確にしておくと、あなた自身が動きやすくなります。さらに、**どれくらいの期間で行うのか**決めておくとより良いでしょう。

例）「まずは自治体の地域活動団体登録をして、同じような活動の見学に行きます」
「起業セミナーへ通いながら、小さな会社設立の方法を学びます」

7．アピールしたいポイントは何ですか？（新規性・優位性）

新規性や優位性は、事業計画書づくりではよく取り上げられる項目です。しかし、あなたのやりたいことは他との比較で考えることなのでしょうか？　それよりもまず、あなたが誰かにぜひ伝えたい「**自分の強み**」があるはずです。あなたがやりたいことを実施する上で、これだけは自慢できるとか、これには自信があるなど、自分の強みをしっかり言語化しておきましょう。

例）「この町は子どもの頃から慣れ親しんでいる場所なので、商店街のお店の方々とも親しいです」
「長年事務職をしてきたので、経理などは得意です」

8．どんな仲間がいればできますか？（実施体制）

まずは一人でできるのか、誰かに手伝ってもらわないとできないのか、計画する時点で把握しておきましょう。誰かに手伝ってもらわないとできないのであれば、**どんなお手伝いが必要なのかを明確化しておく**と、誰かが手伝いたいと思ったときに手伝いやすくなります。この「他人が関わる余白」については後ほど詳しく触れます。

例）「まずは一人で全部やってみます」
「使用する道具を自動車で運ばなくてはいけないので、荷物運びは家族や友人に手伝ってもらいます」

9．どんなことが課題や問題になりそうですか？（課題）

活動を始める上で必ず何か課題があるはずです。あり過ぎる人もいるかもしれません。課題の多い人は、一つひとつ箇条書きで課題を把握しておき、その課題の解決に優先順位をつけると良いでしょう。逆に**課題が少なすぎる人は、何か見落としているかもしれない**です。他に課題がないか探してみましょう。

例）「一人では運びきれない量の荷物なので、どう移動するかが問題です」
「活動する場所を探すことが一番の課題です」
「活動資金の調達方法がまだ決まっていません」

10．あなたと地域との関係性は？（地域性）

ローカルプレイヤーにとって、とても重要なポイントです。この地域で**どのような人々とつながりがあるか、どの団体と関わりがあるかなどを明確にしましょう。**参加しているボランティア活動があれば、その活動を誰かにシェアすることで、共通の知人が見つかる可能性もあります。また、今後関わりたいと思っている地域の取り組みについても、それを言語化することが関わりの第一歩となります。

例）「長年〇〇ボランティアサークルに通っていて、同年代の会員さんには親しい人が何人かいます」
「地元の社会福祉協議会とは、前職を通じてお付き合いがあります」
「〇〇中学校でＰＴＡに所属していたので、今でも時々、行事を手伝っています」

計画に関する質問は以上となります。

言語化というのはとても難しい作業です。感覚的にはわかっているのになかなか言葉にできない、私もその経験をたくさんしてきました。

ビジネスでは、起業のときにこのような項目を計画書に何度も書きますし、プレゼンで何度も話します。他人には初めてでも自分にとっては同じ話ばかりなのでだんだん飽きますが、何度も何度も話すと新しい気づきが生まれます。簡潔な言い回しができたり、より深まって味わいが出ます。あなたも本章の「10の質問」を頭の中で何度も巡らせてみたり、その過程を親しい人に話してみたりしましょう。

もしもこれから事業計画書を書く機会があれば、各質問の下にカッコで書いてある項目のところに、あなたの答えを落とし込んでみてください。短時間で事業計画書が完成します。

最後に……、**一度言語化しても、実施していく上で得た気づきから、修正すべき点はどんどん修正しましょう。**一度決めたことをひっくり返すのは勇気が要りますが、実践や振り返りで感じたことは捨てずに向き合ってみましょう。

計画の壁

さて、ここからは計画する上で壁となってしまう3つのポイントをお話しします。これまで、あんなことができたらいいな、とイメージしていた段階から、いざ具体的に計画していくとなると「現実的にあれもこれも無理だ」と困難なことばかり目について、諦めてしまう人がいるはずです。しかし、新しいことを始めるときには不安がつきものです。そんな不安を生んでしまうような壁と、その解決に向かうアイデアをお伝えします。

計画の壁❶ 思い込み

1つ目の壁は「**思い込み**」です。なんだそんなことか、と思う人もいるかもしれませんが、実は我々の日常には常にこの思い込みが潜んでいます。ヒューマンエラーがその一例です。例えば、介護施設で入居者さんがお薬を飲んだとします。職員は錠剤が口に入るところまで見たので、しっかり飲んだと「思い込んで」目を離します。しかし、実際にはその後口から出てしてしまい、薬が床に落ちていました。このようなヒューマンエラーは「思い込み」から生じるものです。

思い込みには「決めつけ、勘違い、誤解、固定観念、先入観」など、さまざまな仲間がいます。あなたのやりたいことと思い込みの関係について例をいくつか挙げます。

・この活動を始めるためには、この資格を「取得しなくてはいけない」
・この活動の居場所づくりは、物件を「借りなくてはいけない」
・この活動を始めるためには、〇〇と〇〇と〇〇を「買わなくてはいけない」

計画していく上で、このような「〇〇しなくてはいけない」という思い込みや決めつけが自然と生まれてきます。その場合は、それを疑ってみてください。つまり、**本当に「〇〇しなくてはいけない」のか？　他にも方法があるのではないか？と疑ってみる**のです。これは、他人から言われると角が立つこともありますが、自分で疑ってみるなら腹も立ちません。

右記の例の思い込みを疑ってみてください。物件を借りなくてもまずは自宅で始められることはありませんか？　あるいは、身近に場所を貸したい人はいませんか？　また、何かを買わなくてもレンタルや代替品はありませんか？　あるいは、買わずに一からつくってみることで、愛着が湧いたり仲間ができたりする可能性はありませんか？　このように思い込みを一つひとつ解消していくことで、計画時の課題や困りごとが軽減してくるでしょう。

また、思い込みは行き過ぎると相手に矛先が向きます。あなたが相手に対して「あなたはこれをすべき」「あなたは必ずこれをやらなくてはならない」「全てはあなたのためだから」と指導するのは良くありません。計画する上で、あなたのやりたいことがそうした視点になっていないか気をつけることで、より活動の幅が広がっていきます。あなたのやりたいことを他人に押しつけるつもりはなくても、一生懸命に計画をつくっているといつの間にか相手に向けて「〇〇すべき」と決めつけてしまうことがあります。

あなたが強制されずにやりたいことをやるのと同じように、他人もまた強制されずにやりたいことをやるからこそ、ローカルプレイヤーの実践は地域の中で循環していきます。思い込みや決めつけをしていないか、一度疑って考えてみましょう。

計画の壁❷
「とりあえずやってみる」と「無計画」の違い

2つ目の壁は**「とりあえずやってみる」と「無計画」の違い**です。

計画を立てて進めようと思っても、いきなり完璧にできるかというと、なかなか難しいですよね。とりあえずできることをやってみよう、という軽さも大切にしたいところです。ただ、その「とりあえずやってみる」を、思いつきだけで進めて終わりにしてしまうのはもったいないです。**期間や内容を決めて、計画的に「とりあえずやってみる」。やってみた後には、どんな気づきや学びがあったか振り返り（問い）を実施してみてください。**例を挙げてみますね。

例）計画概要

「絵本の読み聞かせ活動を、とりあえず3カ月間やってみる」

期間・内容

・3カ月の間に、自分と似た活動をしている人とできるだけ多く会う
・単発で読み聞かせができそうな場所を探す（見つからなくても探すのが大切）
・読み聞かせに参加してくれた人へアンケートをとる

振り返り（問い）

・自分の読み聞かせは、どんな人にニーズがありそうか？
・どこのエリアに需要がありそうか？
・反応の良かった本は何だったか？
・どんな場所が適しているだろうか？

期間や内容を決めて計画的に「とりあえずやってみる」ことは、学びが多く大切な視点であり、無計画とは大違いです。しかし、案外この視点を勘違いして、ついダラダラととりあえずやってしまいがちです。特に、振り返りを省略してしまうことが多いので、とりあえずやってみた後には、どんな気づきや学びがあったか振り返りを実施してみてくださ

い。振り返る内容をイメージしてアンケートを実施すると、計画が現実的か、自分のやりたいことと相手のニーズが合っているかなどの答え合わせになったり、新しい視点が生まれたりするかもしれません。特に、あなたが実践する上で不安だった点は、よく振り返ってみましょう。

振り返りの例を挙げてみます。イベントを開催したときに、こんなことを言われたら、さまざまな課題に気づくきっかけになります。

「場所がわからなくて、迷っちゃいました」
↓場所がわかりにくい
「こないだ間違えて、違う日に来ちゃった」
↓日時の周知が不十分、わかりにくい
「子どもと一緒に行っても良いですか？」
↓子どもが参加して良いのか伝わっていない
「入っていいのか、悩みました」
↓開催中かどうか、どんなイベントなのか、お金がかかるかなど、わかりにくい

「ここで子どもにミルク飲ませてもいいですか?」
↓近隣に小さな子どもが休憩できる場所が少ないかもしれない
「(来場者から) どうして、こういうイベントをやっているのですか?」
↓イベントの目的や趣旨を簡単に知ることができる工夫 (チラシなど) が必要かもしれない

いかがでしたか。実際には「とりあえずやってみるだけなのに、計画や振り返りなんかできないよ」と考える人もいるでしょう。もし計画を考えていて苦しくなるようであれば、少しづつ考えてみてはいかがでしょうか。いきなり全てを考えようとするから苦しくなる節もあるはずです。

例えば、あなたが出勤するとき、好きな音楽を聴いているとき、お風呂に入っているとき、**ちょっとした時間にちょっとしたことを考えてみて、その思いつきを集めてみると案外簡単に計画がつくれるかもしれません**。特にリラックスしているときは頭もやわらかくなり、柔軟なアイデアが浮かんでくるでしょう。「なんだ、こんな風にやればよかったのか」というひらめきがあるかもしれません。そんなひらめきがあれば、迷わずメモをしてみましょう。

計画の壁❸　完璧主義

3つ目の壁は「**完璧主義**」です。

ローカルプレイヤーは地域の人と協力する場面が多々あります。地域の人が普通にお客さんとして来てくれることも、広い意味では協力と捉えることができます。しかし、完璧主義になってしまい**他人が関わる余白がないと、「参加したい」「協力したい」と思う人が入る隙間がありません。**

例えば私は、住民の集いの場としてフリーコーヒープロジェクトに関わっていますが、集いの場は必ずしもおしゃべりの場というわけではありません。当然、この場で語らうことも大切ですが、私が語らいの場をつくりすぎてしまうと、おしゃべりが苦手な人の入る余白がありません。そのため、おしゃべりをせずにのんびりコーヒーを楽しみたい人のための余白もつくるように心がけて、さまざまな住民が同じ空間で顔を合わせてコーヒーを楽しむことを価値としています。これにより、来場者や協力者とのつながりが生まれるのではないかと考えています。

もちろん、あなたのこだわりポイントに他人を介入させなくてはいけないという話ではありません。しかし、ローカルプレイヤーとしてやりたいことを地域で実践していく上では、他人の協力が不可欠です。頭を下げて参加してもらうことや、指示して働かせるような協力ではなく、**応援したいなと思う人が自発的に無理なく応援してくれるという循環が、ローカルプレイヤーの原動力となります。** しかし、完璧主義になると応援してもらえる余白が減ってしまいます。

先ほどの読み聞かせの例で考えてみましょう。読み聞かせ会を開催して、数名のお客さんが来てくれたとします。

・あらかじめ決めておいた本を順番に読む
　↓余白なし（お客さんは聞くだけなので）
・選書しておいた数冊からお客さんに選んでもらう
　↓余白小

・お客さんにお気に入りの本を1冊持参してもらい、皆でシェアしながら読む
↓余白中
・読み聞かせ会を行うために、事前に近所のママさんたちと意見交換会を行う
↓余白大

余白が大きくなるとお客さんも参画しているような気持ちになり、あなたの活動に愛着が生まれます。右の例のように意見交換会まで行うと、当日手伝いたいという人が現れるかもしれません。

ただし、余白があり過ぎると、逆にお客さんはどうして良いかわからなくなってしまいます。

・それぞれが好きな時間に来て、好きな絵本をたくさん持参し、場当たり的に読み聞かせを行う
↓余白あり過ぎ

これでは、読み聞かせ会なのか、場の開放なのか、どんな会かよくわからなくなってしまいます。やりたいことを計画する際には、あなたに合った余白をつくりましょう。そして、**あなたのやりたいことを地域の人に「与える」のではなく、地域の人と「シェア」するという考え方が大切です。**これにより、自己満足に陥らず共感の生まれるような計画がつくれます。

SNSで活動を伝える

難しいお話が続いたので、気分転換的なお話をしますね。

地域の中で事業や複業、地域活動を「始める」ときに、多くの人がやることがあります。それは、SNSのアカウントをつくることです。ほとんどが無料でつくれますし、今までプライベートでSNSを使っていた人は使い方もわかりますよね。そして「これから私がこんなことをやります！」という宣言をSNSから簡単に発信することができます。

しかし、意外と継続して発信するのは難しいし、投稿内容の方向性が定まらず2、3回投稿してそのまま放置ということも少なくないかもしれません。そこで、あなたがローカルプレイヤーになる上で誰かに活動を伝えることを、さまざまな視点で見ていきましょう。

伝えたいことを一言でまとめる

コミュニケーションには方向性があります。「一方向」「双方向」「多方向」などです。

SNSは双方向のコミュニケーションです。あなたのローカルプレイヤーとしての実践や計画について、SNSで長文を書くのも悪くはありませんが、全てを伝えるのは困難です。長く書けばどこかで誤解が生じたり、そもそも長くて読んでもらえないリスクもあります。従って、SNSは顔が見えない不特定多数の相手をイメージして投稿することが大切です。

第1章のストーリーづくりで「そのエピソードは一言で言うとどういうことですか？」という問いを書きました。これはSNS発信にも応用ができます。一つひとつのSNS投稿で、**あなたが伝えたいことを一言でいうと、どうまとめますか？** 少し強引かもしれません。しかし、お店でいうと店頭ディスプレイみたいなものです。美味しい料理をつくったとしても、ディスプレイが悪ければ来店にはつながりません。逆にディスプレイが良ければその先につながります。SNSでいうと、あなたが伝えたいことを一言でまとめた文章を見て、関心のある人がその先まで読んでくれます。

結論から話すことは相手のストレス軽減につながりますので、営業職などのさまざまな分野でも活かされています。その投稿であなたが何を伝えたいのかを冒頭に短く書くことをお勧めします。

投稿内容はニーズから考える

あなたの考えた活動をどのように伝えるかには、第2章の「相手を知ろう」で考えたことも役に立ちます。発信する際には、どのようなニーズがあるか（どのようなニーズを想定しているか）、どんな人の「ほしい」に応えるのか、あなたに関わった人にはどうなってほしいのか、この「相手視点」の文章で投稿してみると、より相手にメッセージが伝わりやすいはずです。フォロワーさんが増えたり、共感のコメントがもらえるかもしれません。

その上で、一般的に聞き慣れない単語や、馴染みのない専門用語を使うときには注意が必要です。ひとつわからない単語があると、その先の文章がなかなか入ってきません。特にSNSは、ちょっとした暇つぶしや気分転換などで見る人が多いので、調べなくてもわかるような工夫を心がけると、読み手に伝わりやすくなります。

※SNSを、活動記録や備忘録として「自分のため」に残しておくという考え方を否定するわけではありません。これはローカルプレイヤーの教室のプログラムですので、あなたの活動をSNSでどのように相手へ伝えるかという視点でお伝えしています。

また、あなたのSNSを読んで、関心のある人がDM（ダイレクトメッセージ）をくれることもあるでしょう。SNSで認知されてくるとDMが増えます。全てに返信するのがつらくなってきて、SNSをリタイアしたくなる人も少なくないはずです。すぐに返信しようとすると苦しくなるので、「時間を決めて返信する」などの自分ルールをつくって対応すると良いです。また、誰にでも送っているような一斉メールの対応は後回しにして良いでしょう。

逆にあなたが告知をしたい内容（イベント出店など）を一斉メールする側になったとします。その場合には、ただのコピー&ペーストではなく、ちょっとひと手間加えたほうが印象は良いです。久しぶりに連絡する人であれば「ご無沙汰しております」ですし、先日イベントなどで会った人であれば「先日はイベントお疲れさまでした」などです。

メールを使うお仕事をしている人からすると、当たり前ですよね。しかし、イベント前などでバタバタしていると、ついこのような手間をうっかり割愛してしまうことがあります。しかし、例え誤字があったとしても、一斉メールにはひと手間加えた方が良いです。きっと、このような思いやりや気遣いが循環する場こそ、あなたが活動したいローカルなのだと思います。

活動を相談する

あなたがこれからローカルプレイヤーの活動を計画していく上で、もちろん自分自身と向き合うのはとても大切なことですが、あなたの地域にはそれを応援してくれる機関があるかもしれません。

活動を応援してくれる窓口

あなたのやりたいことが、どちらかというと起業に当てはまりそうであれば、各自治体には「創業・起業」「産業」などを支援する部署があります。自治体によっては、無料で事業計画策定の相談に乗ってくれたり、士業の先生方から無料でアドバイスがもらえたりする支援もあります。公的機関ですから、初めての相談には向いていると思います。私も足立区役所の企業経営支援課（特に創業支援係）には大変お世話になりました。自分はどんなことがわからないのか？　どんなことを知りたいのか？　相談していくうちにさまざまな気づきが生まれます。「私の活動はビジネスではないと思うんだけど……」と、何となく感覚で違うと思っている人も、**相談してみることで何が違うのかが明確になり、次に進む道筋が見えるはずです。**

起業ではないのであれば、地域の中にNPO（非営利組織）、ボランティア、地域貢献などの相談や支援を行う機関があるかもしれません。NPOと聞くと「無料で社会貢献をしなくてはならない」という印象があるかもしれませんが、営利を目的としないだけであり、お金を徴収してはいけないわけではありません。例えばお話会を開催した場合、レンタルスペース費用や講師の謝金などを参加者から徴収することができます。

また、社会貢献といってもさまざまなかたちがあり、地域貢献もそれに含まれます。あなたのやりたいことで、例えば地域の賑わいをつくったり、住民の活動機会となれば、それも立派な地域貢献であり社会貢献です。

あなたの地域にNPOを支援する機関があれば、任意団体の立ち上げ相談や、無料講座などに参加することができます。また、助成金があればその相談も受けられるでしょう。足立区には足立区NPO活動支援センターがあり、私も他の団体とつないでもらったり、助成金申請の相談に乗ってもらったりしています。

よく勘違いされるのが「NPO法人」と「(NPO)任意団体」の違いです。NPO法人は「法人」ですから、組織としては株式会社や一般社団法人などの一種です。多くの人がNPOと聞くとこちらをイメージするでしょう。実はもうひとつ、NPOの任意団体というものがあります。任意団体と聞くと馴染みがありませんが、つまりは法人ではないものの、非営利で社会貢献や地域貢献を行う団体のことです。例えば、地域文化の継承事業や、フードバンクなども任意団体であるケースがあります。これ以上の解説は本書の趣旨とズレるのでここまでにしますが、あなたの活動は任意団体としてさまざまな支援を受けられる可能性があります。

相談先としては、支援センターや中間支援組織などもあるかもしれません。役所などで情報収集してみましょう。

相談しても、違和感を見逃さない

ただ、多くの人に相談しすぎると、情報が多く混乱してしまうかもしれません。つらい状況を早く抜け出すために妥協してしまい、あのときもっと考えていれば……と後悔することもあるはずです。

そんな状況を避けるためには「**違和感を見逃さない**」ことです。相談した後に「なんか変だな」「ちょっと腑に落ちないな」という違和感を、「でも、あの人は実績あるからきっと正しいかな」「資格を持っている人だから間違いないな」と決めつけず、違和感の原因をよく考えることです。もちろん、いわゆる勝ち筋のようなスタンダードなやり方もありますが、あなたならではのやり方もあるはずです。特に性格が繊細な人は「専門家がアドバイスしてくれたのだから、それ通りやらないといけない」と思ってしまう人もいるでしょう。しかし、誰かに相談した後は、その内容一つひとつを振り返ってみてください。少しでも違和感があるところは、思い込みを捨て「自分がどうしたいか」をよく考えてみることが大切です。あなたのやり方が一般的ではなくても、焦らずに自分の道を決めていきましょう。

ミニ対談

小元さん（右）

これから始めるローカルプレイヤーの方々が前向きな気持ちで進めるように、足立区のローカルプレイヤー・小元さんと一緒に、「地域の肯定感」について考えました。

小元佳祐さん

株式会社AMAO 代表
ケア元気 ケアマネジャー

1984年1月1日生まれ。東京都足立区生まれ、足立区育ち。高校卒業後、介護福祉士専門学校に通う。その後、特別養護老人ホーム、有料老人ホーム、グループホームなどを10年経験し、ケアマネジャーとなる。2020年、足立区五反野で独立。本業と共に地域の清掃活動、商店街、フードドライブなど地域活動を積極的に行い、地域に根づいた事業所を展開中。夢は足立区の有名人（私を知って困っている人が減ったら良いな）になるために毎日、夢に向かって進んでいる。

森川：小元さんって、とっても自分に関心があるじゃないですか？

小元：自分が大好きだから……（笑）。

森川：自分が好きだという状態を保つコツはありますか？

小元：うーん、自分が好きだし、プラス思考なんですよ。子どもの頃から、自分にとってプラスになることを考えていました。ポジティブなのかな。

森川：他人のことも好きですか？

小元：他人……人は好きですよ。だから、この福祉の仕事ができるんだと思う。一人ひとり、同じ人がいないから面白いです。

森川：地域の人々が皆そういう考え方だと、「何か新しいチャレンジをやってみよう！」って気持ちになるかもしれませんね。小元さんが地域の中で気にしていることはありますか？

小元：気にしているというか、いつも「自分のいないところで楽しいことしないで」って思っています。人が好きなので、楽しいところに行くと人がいっぱいいいて楽しいいし、私もそういう場所をつくりたいと考えています。

森川：確かに、地域で楽しい場所があっても、自分がその場に入っていないと、疎外感というか寂しい感じがしますよね。寂しい体験が重なっていくと、地域の肯定感はなかなか上がらないのかもしれません。逆に、そういう楽しい場所に「入りやすい」地域だと、どんどん関わる人が増えて肯定感が高まっていきますね。どうすれば地域の暮らしの中で、そのような考え方を持てると思いますか？

小元：高齢者の暮らしにも共通しているのですが、情報が足りない。情報と行動。情報をまずキャッチして、行動する人が増えると幸せな人が増えてくるんじゃないかな。そして、行動したらまた情報がもらえるから、その繰り返しなのかもしれませんね。

森川：地域の住民も、地域の情報や課題を知った後に、行動できるか、できないか。ここに壁があると思います。そして、その行動をすることは、例え失敗したとしても経験や学びの機会となりますね。さらに、その経験からまた新たな情報を得ることができます。この流れが地域内で循環することで、地域の肯定感が高まっていくような気がします。どうやったら、そういう人が増えてきますかね？

小元：私は、夢が足立区の有名人なんですよ。もちろん、自分がすごい人じゃないことは知っている。でも、私は地域のすごい人たちを知っています。だから、私が有名人になったら、いろいろな人をつなげる架け橋になれるので、有名人になりたいと思っています。なので、どうやったらそういう人が増えてくるかというと、自分（小元）に出会ってください（笑）。面白いことが共有できると思います。

フードドライブ
（未利用食品の回収）
受付実施中
地域包括支援センター
ホウカツ
出張
相談
窓口
足立区

第４章

コミュニティリテラシーを考えよう

コミュニティリテラシーとは？

第3章まで、やりたいことを掘り下げ、活動の計画を立てる方法についてお話ししてきました。

第4章では、これから地域で活動する方、それを支援する方やローカルに目を向けて暮らす方に、私がこの本を通じてどうしてもお伝えしたい「コミュニティリテラシー」について取り上げます。

コミュニティリテラシーという言葉は耳慣れない方も多いと思いますので、まず私の解釈をお伝えします。「コミュニティ」については、第2章でお話ししましたね。何か共通の目的やテーマがある人々の集まりのことです。

「リテラシー」という単語は「文章の読み書き能力」という意味ですが、近年は「適切に理解して表現する」という意味も持つようになりました。例えば、SNSの普及に伴い、「ネットリテラシー」という言葉が一般的になりました。これは、SNSなどのインターネット上の情報を正確に理解し、適切に利用する能力を指します。ネット上で広がる情報に対して、「これはもしかしたらデマかもしれない」と考えることもこの能力の一部です。

このように、リテラシーの前に何か言葉をつけると、その分野に関する理解や活用の能力を指す意味になります。

これを踏まえて、この本の中でのコミュニティリテラシーとは、「**コミュニティの中での立ち回り能力**」と定義します。

・コミュニティの雰囲気や空気を読む
・コミュニティのつくり方や、協調的な参加や退出の方法を理解している
・コミュニティ内のメンバーとの前向きな対話や意見交換ができる　など

さて、ローカルプレイヤーにはなぜコミュニティリテラシーが必要なのでしょうか？

その理由は人生と同じです。人は生まれてから死ぬまで、誰とも関わらずに生きるのは困難です。それと同じで、あなたの地域活動も、始まってから終わるまで、地域の誰とも

関わらずに続けることは困難です。特にローカルプレイヤーは、お客さんになってくれる人、応援してくれる人、場所を貸してくれる人、宣伝してくれる人、手伝ってくれる人、そのほとんどが地域の人です。あなたと同じように地域を想っている人が多いでしょう。そして、あなたと同じように地域で活動している人もいるはずです。

もしも、あなたの活動を手伝ってくれる人がいたら……、今度はその人の活動をお手伝いしたいと思うかもしれません。しかし、コミュニティリテラシーが活かされないと、あなたはちょっと迷惑なお手伝いさんになってしまうかもしれません。

地域の人々の役に立つ素敵な活動でも、それに関わる人の共感や応援の輪が上手く回らないと、継続が困難になることがあります。ひとりで頑張りすぎて燃え尽きてしまったり、仲間と連携できずに孤立して、取り組みが進まなくなってしまったりすることが起こりがちです。

ローカルプレイヤーと「三方よし」

どのように振舞えば活動が継続できるのか。「三方よし」という考え方をヒントに、ローカルプレイヤー的循環についてお話ししてみようと思います（図4-1）。

「三方よし」という言葉は聞いたことがある方が多いでしょうか。「売り手よし、買い手よし、世間よし」と表現される近江商人の考え方で、売り手と買い手の利益になるだけでなく、世の中もよくなるような商売をしよう、というスローガンです。

企業経営の指針として言及されることが多い「三方よし」は、ローカルプレイヤーの立ち回りにも当てはめられそうです。

売り手→ローカルプレイヤー（＝地域活動や事業を仕掛ける人）
買い手→サポーター（＝活動に参加したり、サービスや商品の提供を受けたりする人）
世間　→ローカル（＝地域やコミュニティ）

図4-1：ローカルプレイヤーの三方よし

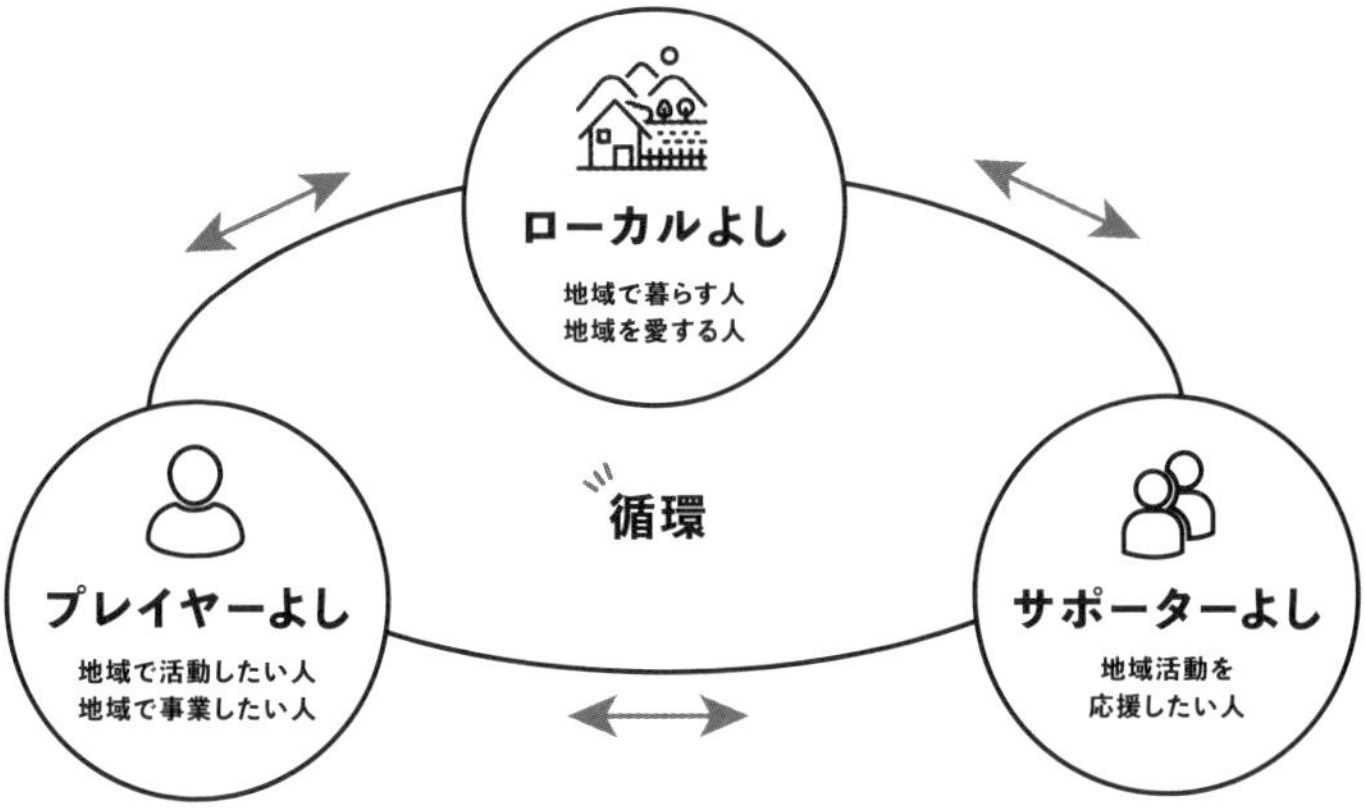

ローカルプレイヤーや参加者が満足するだけでなく、その人々の「ローカル」がともによくなっていくような活動を展開していくことが、活動継続のカギと言えそうです。

そして、大切なのは、この人たちが循環することだと、私は考えています。活動する人と参加する人が入れ替わり、小さなコミュニティ間を軽やかに移動できること。そこに新しいローカルプレイヤーが生まれる余白が生まれ、場所を提供したり、活動を手伝ってくれたりするサポーターも貢献の場が増える。血液循環はサラサラが好ましいのと同様に、**ローカルな人の流れも滞らないことが大切なのです。**

■「地域共生社会」をつくるために

このように説明すると、活動歴の長いローカルプレイヤーを否定するような印象があるかもしれませんが、決してそうではありません。私は介護職を長く経験したのですが、地域のつながりがここ何十年で減ってきているのは間違いありません。そこで、今の日本は「地域共生社会」に取り組んでいます。世代などを超えて住民一人ひとりの暮らしと生きがいを地域の中で創っていく社会づくりです。机上の空論に聞こえるかもしれません。しかし、地域共生社会の反対側にある無縁社会がすでにさまざまな地域に広がっていて、この課題解決はとても難しいです。

私は「地域共生社会をつくる」、「地域住民をつなげる」という直接的なメッセージの発信ではなく、地域の縁側（あやせのえんがわ）から、つながりたい人が無理なくつながる「ゆるいつながり」づくりを始めることで、この課題に取り組んでいます。地域活動が長い人も、新しく活動する人も、想いが一緒であればゆるくつながっていてほしい。**お互いを尊重できるようなローカルプレイヤーが増え、地域のさまざまな世代が活躍できる社会にな**

れば、地域共生が無理なく実現すると考えています。

コミュニティリテラシーカード

心地良いローカルな循環、そしてあなたのやりたいことを地域で継続していくために「コミュニティリテラシー」を考えていきましょう。ローカルプレイヤーの教室で使用しているコミュニティリテラシーカードを、項目に分けてお話ししていきます。ローカルプレイヤーの教室の対面講座ではこのカードを使い、まずは私の考えを話して、その後に参加者さんの考え方をシェアするという対話の場をつくっています。今回は本なので私の考え方のみをシェアします。気になったキーワードがあれば、あなたならどう考えるか、ぜひ言語化してみてください。いろいろな考え方があり、全てが全てあなたに合うということではないかもしれません。しかし「あれ？　これはちょっと違うな」と思ったときはチャンスです。なぜ違うと思うのか？　何が引っかかるのか？　深堀りすると、思わぬ自分の考えが見つかるかもしれませんので、ぜひ向き合ってみてください。

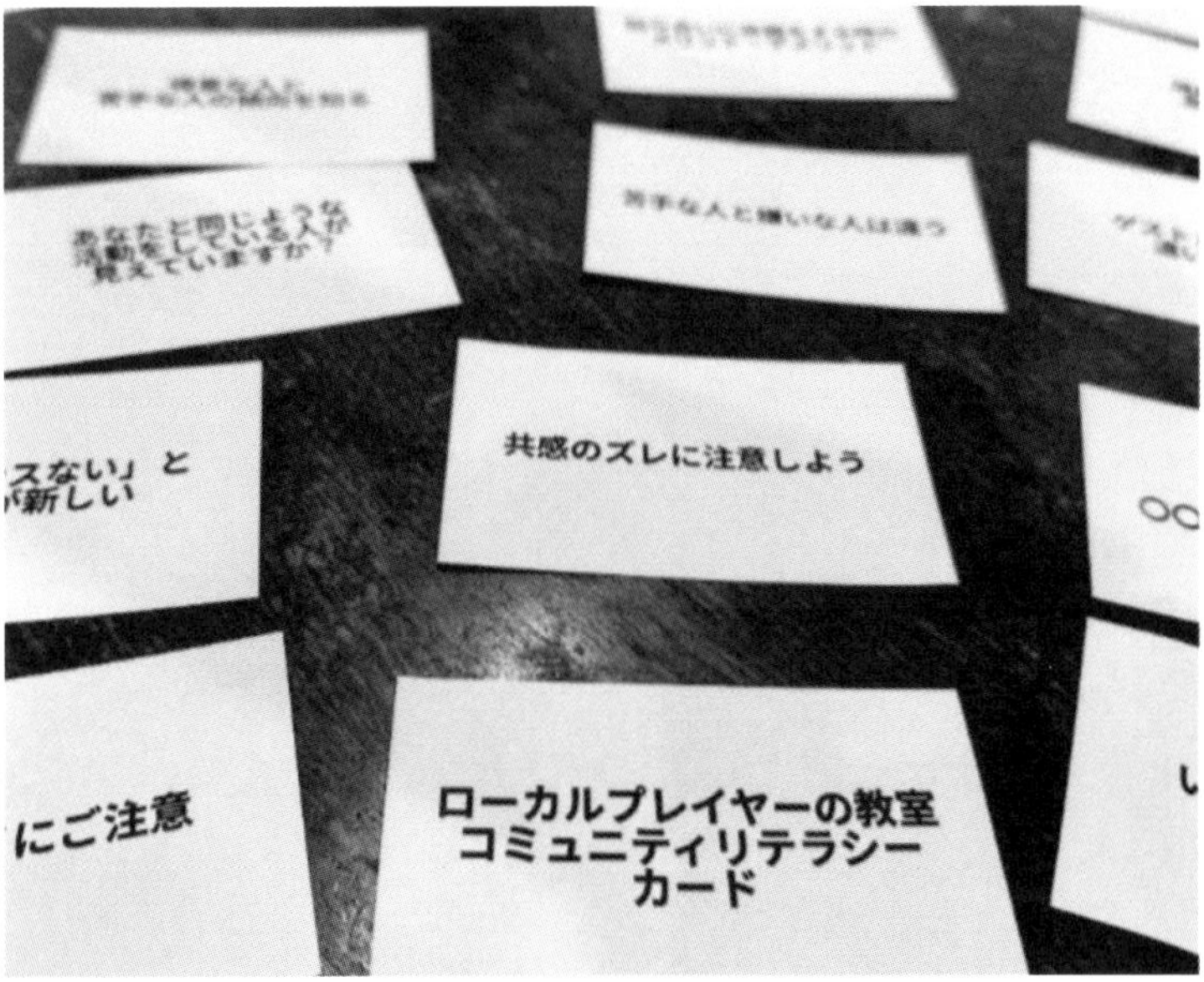

対面講座で使用しているコミュニティリテラシーカード

コミュニティリテラシー：他者と関わる心得

1．信頼するけど期待しない

地域の中でさまざまな人と関わるようになると、あなたを手伝ってくれる人や、協力したいと思う人が現れるかもしれません。ゆっくりと時間をかけて対話すると、相手の考え方や背景を理解し、信頼関係を築くことができるでしょう。しかし、いつの間にか信頼を超えて期待してしまうことがあるかもしれません。

信頼と期待は似ているようで異なります。信頼は「相手を信じる気持ちや安心感」がベースとなりますが、期待になると「成果や効果を期待する」という要素が加わります。相手を信頼することは大切ですが、その信頼している相手に何かを期待するとどうなるでしょうか？　もし期待通りにならなかった場合、期待が裏切られたと感じることがあります。つまり、あなたが勝手に期待して、勝手に裏切られて、勝手に信頼が崩れていきます。

ひとつ、私の考え方を例として挙げます。例えば、「今度お茶でもしましょう」と言われた場合、その実現をどれくらい期待するでしょうか？　私の期待は10％くらいです。ガッカリするのを避けるため、実現を期待しないように心がけています。期待の反対を「疑う」と考えると、相手を悪く捉える場合もありますが、「事実と違うのではないか」と推測するニュアンスもあります。相互理解を築く上で、言動の表面だけでなく、その真意を考える（疑う）ことで、期待が外れるのを防ぐことができるかもしれません。この場合、「今度お茶でも」の今度は、相手の中では来週くらいなのかもしれないし、漠然といつか暇になったときに、と考えているかもしれません。あなたが本当にお茶をしたいと思うのであれば、相手に期待せずに自分から段取りすべきです。

2．人を見る目は重要スキル

地域の中で活動する上で、人を見る目というのは重要な能力です。しかし、この場合は優秀な人を見つけるという意味ではありません。では、どういうことなのか？　それは、あなたとの相性が良い人を見る目です。どんな人でも相性の合う／合わないはあります。

第2章では、人がつながるポイントとして、「共感」や「親近感」を挙げましたが、まさにそういうところで合うか合わないかを見極めるのが大切です。

相性の合わない人と無理をしてお付き合いすると、いつかトラブルが起こり、トラブルの噂はあっという間に地域へ広がっていきます。それは、どちらが良いとか悪いとかではなく、相性に問題があるはずです。トラブルを避けるためには、相性の合う相手を見極めることが大切です。

ただし、相性の合わない人と完全に関わらないわけではありません。例えば、そのような人と何かで協力することになったら「自分が苦しくなっていないか」などの注意を払うと良いでしょう。そして、苦しくなったらそれ以上無理をしない。このようなアプローチで、地域の中で円滑な関係を築くことができます。

3．自分の代わりは山ほどいる

あなたが一生懸命に考えた活動の計画は、まるで宝物のようです。自分の子どものような愛着があるかもしれません。ただし、自分の活動を愛するあまり、自分以外には実現できない、この地域で唯一の存在だと感じることがあるかもしれません。これは通常ではなかなか起こらない状況ですが、他者から厳しい意見や批判を受け続けると、負の感情が生じ、このような思考が生まれることがあります。段々と、地域の中であなたと似た活動を行っている人を批判的な目で見るようになってしまいます。

あなたの活動はとても大切ですが、あなたがやらなくても誰かが似たようなことをやるかもしれません。あなたの代わりはいるのです。だけど、あなたにしかできないこともあるはずです。

批判されたときなどは、気持ちが落ち込みがちですが、「確かに自分の代わりはたくさんいる、けれど私にしかできないことは何だろう?」とよく考えてみてください。あなたの宝物(活動)がより輝くチャンスになるはずです。

4・苦手な人と嫌な人は違う

地域で多くの人と関わると「この人、苦手だなぁ」という人が現れるかもしれません。それとは別に、あなたの活動を「上手く利用してやろう」と企む人も出てくるかもしれません。逆に利用してやろうと考えるたくましい人もいるかもしれませんが、活動を始めたばかりではなかなか強く言い返すこともできず、対応に困ってしまうかもしれません。そういう相手は一言で「嫌な人」としましょう。

あなたの心の中のモヤモヤとしては、「苦手な人」と「嫌な人」は似ている感情かもしれませんが、全く違うものです。苦手には理由があります。例えば「あの人はいつも自分の話ばかりしてくるから苦手」なのであれば、その部分が苦手なだけであり、それ以外は別に苦手ではないのです。あなたが何かイベントを開催したら、趣旨に共感して普通に来てくれるかもしれないし、あなた以外の人がいるときには自分の話ばかりしないかもしれません。お付き合いの仕方の問題です。

しかし、嫌な人はどうしようもありません。嫌なのですから。無理に好きになろうとすると、自分が壊れてしまいます。そういう嫌な人とは、できるだけ距離をとるようにしましょう。距離をとる秘訣は、その意思を表に出さないことです。バレないように時間をかけて距離をとるのです。例えばメールの返信などは無視せず返しますが、何となくシンプルな文章にして、誘いは毎回やわらかくお断りすることを続けます。そうすると自然に距離が離れてきます。それでも相手は近づいてくるかもしれませんが、引き続きバレないようにします。嫌な人ほど、時間をかけて慎重に離れることが大切です。
繰り返しになりますが、このように「苦手な人」と「嫌な人」は対応を分けましょう。

コミュニティリテラシー：人に会う／つながる極意

5．地域のイベントを多く回ればいいわけではない

地域活動を始めたら、とりあえず地域のイベントをたくさん回れば、いろいろな人とつながれて良いだろう、という考え方があると思います。その考え自体は悪くないのですが、実はとっても疲弊します。いつの間にか「人と出会うこと」ではなく「回ること」が目的になってしまい、イベント情報に追われ、自分の休みも減り、大切な軸がわからなくなってきてしまいます。

イベント情報を追うことは必要です。知っておくと、誰かと会ったときの共通の話題になりますし、行った人から感想を聞くと様子がわかってきます。しかし、自分がたくさん回る必要はないのです。あなたが本当に面白そうだな、興味があるな、というイベントだけを回ることで、あなた自身が楽しく参加できます。楽しく参加すると気持ちも前向きに

なりますし、出会う人とのおしゃべりも楽しいはずです。そんな楽しい体験を繰り返していくことで、ポジティブなつながりが生まれてきて、あなたの活動の周りには自分の好きな人たちが集まってきてくれます。無理してたくさん回るのはお勧めしません。

6．利用するためにローカルプレイヤーと会うのはやめよう

これは「信頼するけど期待しない」と「地域のイベントを多く回ればいいわけではない」を合わせた展開系のお話です。

地域のイベントなどを調べていると「この人に会ってみたいな」と思う人が現れます。その気持ちは大切で、会いたい人がいたら会いに行って、純粋に会いたかった気持ちを伝えることは自然なことです。ただ、注意が必要なのは、その会いたい理由です。その人の想いや活動に共感するから会いに行くのは良いことです。しかし、自分の活動に良い効果があると期待して会いに行くと、期待が外れることがあり、そうすると心の中で「わざわざ会いに行かなければ良かった」なんて思ってしまうかもしれません。特に、自分の活動

の宣伝や自分を認知してほしいという意図で行くと、おおむね期待が外れるでしょう。

その理由は多々ありますが、例えばAさんという人が「あなたに会いたい」と訪れたとします。しかし、なぜが私の話は聞かずAさんの話ばかり……となると、この人は本当に共感して来てくれたのか、自分の宣伝だけなのか、よくわからない人だなと感じます。

信頼関係は1回2回会っただけでは構築されません。まずは、会いたい人とどんな関係を築きたいかイメージして、ゆっくり時間をかけることが大切です。

余談ですが、イベントに出店している人に会いに行くと、その人は朝から（もしかしたら前日から）イベント準備でバタバタしていて、イベントが始まってからも多くの人の対応をしている状況ですので、落ち着いてゆっくり話すということはなかなか困難です。

7．自分の得意なつながり方を知る

あなたはどのように人と知り合って、お付き合いするのが得意ですか？　どのような場面でお友達ができることが多いですか？

普段はあまり考えないことですが、あなたが誰かとお付き合いが始まるときの傾向などがあるはずです。仕事を通じて、ボランティア活動や趣味サークルを通じて、あるいは飲み会を通じてなど、実は人によって得意なつながり方は異なります。飲みニケーションなどがその典型的な例です。

もちろん、つながり方はシチュエーションだけではなく、こういう性格の人とはお付き合いしやすいという傾向もあるはずです。「初めて会ったのに意気投合」みたいなときがあったら、それはどんな偶然が重なったからそうなったのか検証してみましょう。あなたが人とつながるコツが見つかるかもしれません。

このように、人との得意なつながり方を認知することは、ローカルプレイヤーが地域で活動する上で必要な技術です。苦手な出会い方を克服する必要はありません。例えば私はビジネス名刺交換会が苦手なので、そこでお付き合いが始まることはほぼありません。私も得意なつながり方を活かすようにしています。

8．誰かを紹介するときは、よく考えよう

地域で活動していると、「〇〇ができる人、紹介してくれない?」「〇〇やってる人、つ

ないでくれない？」みたいな相談を受けることがあります。自分を信頼して相談してくれたことが嬉しくなり、ついつなぎたくなりますが要注意です。相談者にはニーズがあるはずです。

例えば「マルシェに出店できるお店を紹介してほしい」という相談があったとします。表面的なニーズは出店者探しですが、潜在的に「できれば飲食店が良い」「コーヒー屋さんなんかが良いな」というニーズが隠れているかもしれません。それは誰かをつないでから判明するとミスマッチングになります。「できればコーヒー屋さんが良い」と思っている相談者に、アクセサリー屋さんを紹介すると、「なんか違う」とお断りを受けるかもしれません。そうすると、あなた自身もショックですが、巻き込まれたアクセサリー屋さんもショックです。誰かを紹介するときは、まずニーズや条件を確認することが必要です。

逆に相談者のニーズに合うようにコーヒー屋さんを紹介したとしても、コーヒー屋さん側が「自分のお店を臨時休業するので、最低でも〇万円は売り上げたい」というニーズがあるかもしれません。そこで、マルシェの来場者数のそもそもの見込みが少なかったら、やはりミスマッチングになってしまいます。

地域の中で誰かを紹介するときは、双方のニーズをよく理解して、ミスマッチングにならないようにしましょう。上手くつなげなさそうであれば、早めにはっきりお断りすることが大切です。

コミュニティリテラシー：対話の場のヒント

9．すぐに「要するに」と言わない

これからあなたは、ローカルプレイヤー同士のコラボで打ち合わせをしたり、関心のある分野の住民会議に参加したりすることがあると思います。そのときに、つい相手の意見をまとめようとして、「要するに〇〇ということですよね？」と言いたくなるかもしれませんが、相手の話を一瞬で要約して言語化するのは、とても難しいことです。ちょっとニュアンス違いの要約をしてしまうと、相手は「誤解があってはいけない」とさらに付け足して意見を言います。こうしてどんどん話が趣旨と違う方向へいってしまい、そして長くなり、気がつけばわけがわからなくなっている話し合いをよく見かけます。

「要するに」というのは、本当に難しいのです。むしろ要せずに、さまざまな意見をありのままに出しておくことが、打ち合わせや住民会議には必要です。ありのままの意見が出揃ったところで、参加者全員で「これらの意見をまとめると、要するに〇〇なのではないか」と考えていくのが自然な流れです。

10・ゲストとホストの違いを知る

地域で活動していると、ついゲストとして招かれたときも、自分の活動の温度感で接してしまうことがあります。

例えば、市内で地域活動を集めた大きなお祭りがあるとします。あなたはそのお祭りにゲストとして招かれました。あなたはいくつかのお祭りを経験しているので、つい「〇〇したほうが良い」「私の場合は〇〇したほうが上手くいった」などと自分視点の意見をしたくなりますが、それは不要なアドバイスになる可能性があります。

あなたがゲストとして招かれたということは、ホスト（主催者）がいるはずです。そして、そのホストがお祭りの趣旨や目的を定めているはずです。あなたは、あなたの体験談で話すのではなく、ホストの趣旨や目的と向き合って、ゲストとしてどんなことができるのかを考えて提案すべきなのです。もしあなたの考え方と違うのであれば、そのお祭りには参加せずに、あなたが思い通りのお祭りを主催すれば良いだけです。つまり、ゲストとして招かれたときには、ホストの趣旨や目的、想いなどをよく確認して、事前に参加の可否も含めた立ち回りを検討しましょう。

この話はお祭りで例えましたが、さまざまな機会でゲストとして招かれることがあると思いますので、事前によく確認して、よく考えることが大切です。

コミュニティリテラシー：気づきと学び

11．チャンスはピンチ

一般的には逆ですよね。ピンチはチャンス。しかし、ローカルプレイヤーの活動では、チャンスはピンチとして考えるほうが成功につながります。

例えば、あなたは読み聞かせの活動を行い、いつもは10人も入れば満員という会場で開催しているとします。それがある日、１００人規模の会場で読み聞かせを依頼されたとします。人数が成功指標ではないとはいえ、普通に考えれば１００人もの子どもたちがあなたの読み聞かせを楽しみにしてくれるのは嬉しいことですよね。しかし、どうでしょう。チャンスはピンチ。いつもは10人規模だからそのまま話せるけど、１００人ともなるとマイクが必要でしょう。後ろのほうの子どもは本が見えません。いつもは10人の子どもたちの表情を見ながら読み聞かせをしているのに、１００人にもなってしまうと前列の子どもしか表情がわかりません。このように、ピンチ要素がいくつもあります。そのピンチ要素を考えずに、いつもの通りにやってしまうと……思った効果が出ず、気持ちが落ち込んでしまうかもしれません。チャンスはピンチ。良いお話やご依頼のときは、それに伴う課題をよく考えて取り組むという姿勢が大切です。

12・壁打ちではなく、人の頭で考える

ビジネス用語で「壁打ち」という言葉があります。これは、企画などがまとまっていない状態で、誰かにアイデアや悩みを漠然と聞いてもらい、相手からも気楽に質問や意見をもらうという面談を指します。

地域で活動する際には、知らず知らずの間に壁打ちのような会話が生まれることがあります。特に始めたばかりだと不安や悩みごとが多いため、そのようなコミュニケーションが発生しやすいです。しかし、さまざまな人から意見をもらうと混乱してしまうこともあります。自分自身がどうしたいのか、よく理解できなくなることもあります。そこで、壁打ちではなく、少しばかり相手の知恵をお借りして考えていきましょう。

例えば……

［普通の相談］
あなた「自宅を改装してお店にしたいんだけど、ちょっと不安があって……」
相手1「いいじゃない、家賃もかからないし」
相手2「やめときなさいよ、防犯上危ないわよ」
あなた「どうしよう……」

［相手の知恵を借りた場合］
あなた「自宅を改装してお店にしたいんだけど、ちょっと不安があって……」
相手1「いいじゃない、家賃もかからないし」
相手2「やめときなさいよ、防犯上危ないわよ」
あなた「家賃がかからなければ、どんなメリットがあるかしら？」
相手1「〇〇屋さんのところは駅近のテナントだから、賃料が高くて大変みたいよ」
あなた「そうだよねぇ。なんで自宅でお店をやらないのかな？」

相手2「やっぱり泥棒とか恐いんじゃない、変なお客が来るかもしれないし」
あなた「自宅でお店をやってる人って、その辺りのリスクはどうしてるのかな?」
相手1「○○さんは、日中に旦那さんがテレワークだから安心してできるんですって」
あなた「なるほど、私も小さな貸しオフィスを併設しようかしら」

相談のテーマ出し（自宅で開業）はあなたがしていますが、その後あなたは一方的に意見を言われたり、質問を受けたりするのではなく、いつの間にか逆に質問をする側に回っています。これが相手の頭で考えている状態です。あなたの相談に乗ってくれた人の意見を、なぜそう考えるか深堀りして聞くことができます。そして、このようなやりとりが第2章でお話しした対話につながっていきます。

ただし、対話には一定のルールがあり、この場合でいうと、自宅を改装してお店をすべきか、すべきではないかの結論を出すような議論にならないように注意が必要です。私はこう思っている、相手はこう思っている、お互いの考え方があり、どちらも間違いではないということです。その上で、最終的にあなたが判断するのです。

13・知り合いに依頼をするときのメリット／デメリット

「誰かを紹介するときは、よく考えよう」と近い話なのですが、今度はあなた自身が誰かに依頼する場合のことです。名刺のデザイン、ホームページの作成、スペースを借りる、ワークショップの講師を依頼する、簡単な工事を頼む……。地域で活動していると「仲良くなった地域の事業主さんへ依頼したい」と思うのは自然な発想です。知り合いに依頼すると、相談しやすすかったり、柔軟に対応してくれたり、いろいろとメリットがありそうですよね。

しかし、知り合いだからこそ「こうやってほしいのだけど言いにくい」とか、「こうやってくれと伝えたのに反映されてない」など、ちょっとしたことでつまずきやすいケースもあります。「こんなことなら赤の他人に頼めば良かった」ということもあるかもしれません。

さらに、そこでトラブルが起こると、地域の中でいつまでもわだかまりがあり、出先でその人と会って気まずいということがあるかもしれません。知り合いに依頼する場合は、その辺りの信頼関係をしっかり考えてから依頼しましょう。

14・コミュニティを離れるとき

地縁型であれ、テーマ型であれ、自分が所属しているコミュニティを離れたい（やめたい）と思うこともあるでしょう。中には「〇〇さんと私は意見が合わないから抜けたい」というような状況もあるかもしれません。

コミュニティから離れる秘訣は「立つ鳥跡を濁さず」です。ただし、静かに姿を消しても、急にいなくなれば周囲の人々も疑問を抱くでしょう。ですから、時間をかけることが重要です。例えば、少しずつ打ち合わせに行く頻度を減らすなどです。

自分がやめることを決意した後に、周囲に「私は〇〇が不満だからやめる」と伝えたり、不要なアドバイスをすることは避けましょう。コミュニティに残るつもりであれば、ときには不満を伝えることも必要かもしれませんが、やめる人の助言は、参考になったという印象よりも不快な印象が残ります。「（私のように）やめる人が増えないよう助言する」というのは余計なお世話です。それが必要なのは、ビジネスで顧客がサービスを利用中止するときです。コミュニティは単純に人を増やせば良いというものではありません。

また、やめる際に誰かから「何でやめるの?」と聞かれても、その話は後日、尾ひれがつくかもしれません。「仕事が忙しくなった」などの私的な理由を述べる程度に留めておくのが無難です。

15・「超センスない」と思うことが新しい

住民会議やグループワーク、地域イベントの打ち合わせなどをしていると、さまざまな意見が出てきます。中には「それはちょっとダサいな」と思うような意見が出てくるかもしれません。一回そう思ってしまうと、もうその意見はダサいと思い込んでしまい、自分の視界から消えてしまいます。しかし、例えば誰かが、そのダサい意見を褒めたとします。そこで気がつくのです。ダサいと思っていたのは自分だけだと。

自分の感覚に合わない、自分のセンスには合わない意見はつい見過ごしてしまいますが、つまりあなたの中からは出てこない発想ということです。結局、それはあなたにとって新鮮な意見、新しい視点となるわけです。ダサいな、センスがないな、という意見を聞いたときにはチャンスだと思い、その意見についてなぜダサいと思うのか、自分のセンスとなぜ合わないのだろうと考えてみることで、現在のあなたのセンスを見つめ直すことができます。そして、あなたの地域活動に新たな気づきが生まれるかもしれません。

コミュニティリテラシー：情報との付き合い方

16．地域の情報は寂しがり屋？

「お金は寂しがり屋」という表現があります。お金はお金持ちに集まっていくという比喩的な言い回しです。お金は使われないと存在価値がないので、お金が循環することで経済が回り、人々の生活が向上するという考え方です（この考え方には賛否があると思います）。

私は、これが地域情報にも当てはまると考えています。地域情報は寂しがり屋な一面があります。地域情報をたくさん持っている人には、どんどん情報が集まってきます。例えば、地域の中で「この人だったら、○○地域のことをいろいろ知っているかもしれない」と思われるようになると、いろいろな人から相談がきます。そして、地域を想う人同士が話していると、いつの間にか相談が発展して地域情報のシェアになっています。同じことを繰り返していると、どんどん地域の情報が集まってきます。その情報は、他のローカルプレイヤーを救うことがあるかもしれません。
どんどん情報を取りに行く、という節操がありませんが、さまざまな情報に関心を持っておくということは、ローカルプレイヤーとして必要なたしなみであると考えます。ただし、情報の押し売りは控えましょう。

地域情報というと漠然としているので、例を挙げますね。

「○○商店街に新しく△△のお店ができた」
「○○さんという人が新しく△△の地域活動を始めた」
「役所の広報誌にこんなことが載っていた」
「こんな街づくりの助成金が始まった」
「先日の地域マルシェに行ってきた感想」
「○○センターが開催した○○講座の感想」
「○○イベントが出店者を募集していた」
「子ども支援に関しては、最近○○という団体が面白い取り組みをしている」

「○○屋さんがこんな困りごとを話していた」など。

17．話の展開を変える3つの寓話

なかなか話が展開しにくい打ち合わせ、同じ話が行ったり来たりのグループワークなど、地域にさまざまな人が集まると、互いの想いがぶつかったり、あるいは気を使い合ったりして、話が進まないことがあります。

「それじゃ話が進まないので、もっと意見を出してくださいよ」と伝えても、意見交換は活発化しませんよね。逆に意見は出にくくなってしまいますし、少し角が立ちます。私がこのような場に遭遇したときには、説話や寓話を引用して話題を変えようと努めます。これらのお話は昔から伝わってきただけあって説得力があります。そんな中でも、私がよく使う3つのお話をご紹介します。

【北風と太陽】（場面：他人に任せるような議論が続いた場合など）

イソップ物語の中でとても有名なお話です。北風と太陽が、力比べのために旅人の服を脱がせる勝負をしました。北風は力任せに風を当てて脱がそうとしますが逆に旅人は着込んでしまい、太陽が暖かい日差しを当てると心地よく服を脱ぎ、最後は川で泳いだという話です。

例えば、ローカルプレイヤーが数人集まってイベントを企画する場合に、お客さんをどう集めるかという議題になったとします。そこで、○○さんに頼んでお客さんを紹介してもらおうとか、人気のある○○さんを呼べば集客につながるのではないか、と誰かの力で課題を越えようとするような北風的な意見が続いたとします。

そこで「北風と太陽」の話を引用して、もう少し自分たちで「楽しそう、行ってみたいな」と思ってもらえる太陽的なアイデア出しをしないか？と提案します。結果、イベントの魅力などを再確認して、その魅力を存分に発揮する広報ができるかもしれません。また、魅力を理解したお客さんが多く来場してくれるかもしれません。ただしこの場合は、北風的な意見を否定せず、太陽側の考え方も進めていくのが大切です。

【木こりのジレンマ】（場面：思い切って新しい方法を選ぶ場合など）

木こりは忙しくて斧の刃を研ぐ時間がなく、木が切れにくくなってもそのまま切り続けています。あるとき、旅人に「刃を研いだほうが良いのではないか？」と言われると、「研ぐ時間がない」と答えた、というお話です。ビジネスでは作業効率の見直しなどで使われる例えですが、今までのやり方を見直してみるときにも使えます。

木こりは忙しい中で刃を研ぐことに対して、何を得て何を失うのかが見えていません。この場合、研ぐことで得るのは作業効率であり、失うのは研いでいる間に木が切れないということです。例えば、刃を研ぐ時間が30分間だったとして、30分あれば研いだ状態なら何本切れて、研いでいなければ何本しか切れないかがわかっていません。

これと同じように、既存のやり方から新しいやり方に変えるときは、何を得て（メリット）何を失う（デメリット）のか明確化・言語化することが大切です。明確化されないまま、感覚的に考えるのはただただ時間の無駄になってしまいます。

【ロバと老夫婦】（場面：地域の目が気になってアクションに移せない場面など）

「ロバを売りに行く親子」が元のお話ですが、簡単に言うと、ロバと老夫婦が歩いており、ロバにおじいさんを乗せるとおばあさんが可哀そうと言われ、逆におばあさんを乗せるとおじいさんが可哀そうと言われ、夫婦でロバに乗るとロバが可哀そうと言われ、最後は夫婦がロバを担いで人々に笑われる、というお話です。

何をしても、批判する人がいるということです。地域で活動すると、肯定的な意見だけではなく、否定的な意見をされることもあります。それは、どう改善しても批判されてしまうものです。何かをアクションに移すときはさまざまな意見がありますが、否定的な意見に左右されず、自分たちの想いをしっかり確認することが大切です。

18・話を短くする

打ち合わせや面談などで何かを伝えるとき、つい話が長くなってしまうことはありますよね。しかし、人が集中して聞けるスピーチは90秒程度であるという考え方もあるそうです。話を短くすると誤解が生じるかもしれませんが、90秒で明確に意見を伝えるのと、5分で詳しく伝えるのでは、印象が大きく異なります。情報量は5分のほうが多いかもしれませんが、90秒であれば相手のストレスが軽減します。そして、相手に関心が生まれれば質問が来るでしょう。まさに対話です。

そもそも5分話したとしても、内容を相手は全て覚えられませんよね。もちろん、時間を考えながら話すのはおしゃべりとしてつまらない、と感じる人がいるかもしれませんが、雑談は雑談したい人同士がすれば良いものです。厳しい言い方になりますが、あなたの独演会は依頼があったときに行うべきです。一方通行の演説ではなく、互いに想いを聞き合いましょう。

19・メールはよく読む

メールなどで何かの連絡が届いて、相手から3つの質問がきたとします。しかし、あなたは忙しくてよく読まず、3つのうち1つの質問しか返信しませんでした。相手は残りの2つの質問をもう一度しなくてはなりません。そのとき、ただ単によく読んでいないケアレスミスなのか、もしかしたら何か思うところがあってひとつしか回答しないのか、相手はいろいろ詮索してしまうかもしれません。コミュニケーションとしては良くない状況です。

あなたに対してそういう体験が重なると、相手は「あの人はメールをよく読まない」「あの人とのメールのやり取りは手間がかかる」という印象を持ち、連絡するのをやめてしまうかもしれません。メールは表情や言葉のニュアンスまでは伝わりませんので、注意が必要です。忙しいときはついつい流し見してしまいますが、特に返信を要する内容などは必ずよく読みましょう。

20・お金の話ファースト

ローカルプレイヤーとして何か活動をするときに、参加費や費用を徴収する場合は、必ず最初に伝えましょう。もしも無料だと誤解されてしまったら、後から「え、お金かかるの?」という印象を与えます。お金の話は大切です。

あなたにとっては、無料なんてありえないと思っていても、相手にはその常識は通じません。例え金額を伝えなくても「実は有料の講座なんだけど」などとお断りを入れてから説明しましょう。意外とできない人が多いです。

これは、チラシをつくるときなども同じです。無料講座の場合は「参加費:無料」などと必ず書きましょう。

「参加費○円+ドネーション(寄付)」というスタイルもありますが、参加者はドネーションの相場が気になるところです。例えば「ドネーションをお願いします」という紙が貼られた貯金箱があれば、参加者は硬貨での寄付をイメージします。また、ドネーションの用途などもわかればイメージが湧きます。車で旅する人を講師としてお招きしたら「できればば次の〇〇まで行くガソリン代のドネーションをお願いします」と伝えると、参加者は「たぶん〇〇円くらい集まれば足りるだろうなぁ」とイメージして、その中で自分がいくらなら協力できるか考えることができます。ドネーションは良い仕組みですが、参加者にとってはいくら払えば良いかわからず参加の不安につながる可能性もあるので、相場や用途をイメージできるような工夫があると親切だと思います。

21．気が合うタイプと苦手なタイプの傾向を知る

「苦手な人と嫌な人は違う」と似た話ですが、性格が良いか悪いかという話ではなく、あなたがこれまでの人生を振り返ってみて、いつも気が合うのはこんな人、ちょっと苦手だと思うのはこんな人、という傾向があるかもしれません。年代や性別について、「年上のほうが合う」、「異性のほうが話しやすい」と思う人もいれば反対の人もいるでしょう。また、性格については、せっかちな人に対して「せっかちだから苦手」と思う人もいれば、「話が短くて話しやすい」と感じる人もいるでしょう。

地域では、さまざまな性格の人が集まってコミュニティがつくられます。苦手な人と会うと、会話のペースが乱れたり、思ってもいないことを言ってしまったりすることもあります。しかし、事前にこの人は苦手なタイプだとわかっていれば、心の準備ができるので平静を保てるかもしれません。ローカルプレイヤーは地域で多くの人と会うので、気が合うタイプと苦手なタイプの傾向を把握しておくと、気持ちが少し楽になりますし、良いお付き合いができます。

コミュニティリテラシーのまとめ

いかがでしたか。

「なんか違うな」「ちょっと違和感」は大歓迎です。例えば、あなたは話を短くするということに関して「別に話が長くたっていいじゃない」と思ったとします。そのような場合は「話は短くすべき」という考え方を疑ってみましょう。例えば、親しい誰かに少し長く話をして「長く感じたか？」感想を聞いてみたり、長く話しても飽きられないスピーチを学んだりするのも良いかもしれません。そして最終的に、あなたの解釈としては「話は長さではなく、話すテンポやリズムなどの緩急が大切」だと感じるかもしれません。それは、あなた自身が導き出した答えであり、それを大切にすべきです。この一つひとつの提案は、学びや気づきの他に、考えるきっかけにもなります。そして、**その自問自答がコミュニティリテラシーを育んでいきます。**

このコミュニティリテラシーを肯定的に捉えた方はぜひ実践していただきたいし、否定的に捉えた方は「なぜ違うと思ったのか」掘り下げて考えてみてください（図４-２）。

図4-2：コミュニティリテラシーカード

他者と関わる心得

1．信頼するけど期待しない
2．人を見る目は重要スキル
3．自分の代わりは山ほどいる
4．苦手な人と嫌な人は違う

人に会う／つながる極意

5．地域のイベントを多く回ればいいわけではない
6．利用するためにローカルプレイヤーと会うのはやめよう
7．自分の得意なつながり方を知る
8．誰かを紹介するときは、よく考えよう

対話の場のヒント

9．すぐに「要するに」と言わない
10．ゲストとホストの違いを知る

気づきと学び

11．チャンスはピンチ
12．壁打ちではなく、人の頭で考える
13．知り合いに依頼をするときのメリット／デメリット
14．コミュニティを離れるとき
15．「超センスない」と思うことが新しい

情報との付き合い方

16．地域の情報は寂しがり屋？
17．話の展開を変える3つの寓話
18．話を短くする
19．メールはよく読む
20．お金の話ファースト
21．気が合うタイプと苦手なタイプの傾向を知る

ミニ対談

これから始めるローカルプレイヤーの方々が前向きな気持ちで進めるように、足立区のローカルプレイヤー・塩田さんと一緒に、「地域の肯定感」について考えました。

塩田さん（右）

塩田純子さん

あだち若者サポートステーション 相談員

神奈川県川崎市出身。百貨店、営業、編集、企業秘書などの仕事を経て、NPO法人青少年自立援助センター入職。あだち若者サポートステーションで若年者の就活や困りごとの相談、保護者相談を受けている。相談件数は年500件超。利用者に向けたコミュニケーションセミナーを月1程度実施しているほか、主に足立区の企業と連携する職場体験コーディネーターを兼任。地域と若者のつながりを目指している。近年は都内定時制高校で、働くを学ぶ授業や個別相談にも対応。地域福祉推進事業団（いのちのホットステーション）スーパーバイザー。公認心理師。

森川：塩田さんは地域の肯定感について、どのように考えていますか？

塩田：私は若い方の相談に乗る仕事をしています。若い彼らにとって、自分より年齢が上の人、リアルな大人というと、親や学校の先生以外は知らない、ということが多いようです。そうなると親や先生が自動的に彼らの「大人の基準」になるんですが、ただ親や先生って、立場上「模範的な大人」を見せがちじゃないですか？　その「大人の基準」から、自分がはみだしている部分を失敗だと思ってしまうと、キツイですよね。ただでさえ若いうちは自信がないのに、そこを失敗と名づけたら失敗の山に埋もれてしまいます。失敗したらいけない、と敏感になるし、自己肯定感は低くなっていくと思います。

森川：私も若い頃は自信がなかったですね（笑）。

塩田：でもダメなところがたくさんあったって、ちゃんと幸せに生きられるんですよね。自分はダメな部分がいっぱいあるけど、自分のこういうところはいい！って思えたら、かなりラクになれる。だからわたしは彼らのために、いつもかっこ悪いところをわざと見せていて、ダメだけど生きられてる見本として存在するようにしているんです!!
肯定感に関しては、地域も同じかもしれません。この地域のこういうところがダメとか、良くないとか、そこは把握しながらも、好きなところも知っている、この地域のここが好き！と言えることが肯定感なんじゃないでしょうか。地域全体とか、大きな規模で共有するのは難しいけど、自分の身の回りにいる人に、ポジティブなメッセージを伝えることはできるはずです。

森川：確かにそうですね。そのようなコミュニケーションが積み重なっていくと、自己肯定感が増して、地域の共生につながっていくかもしれませんね。

塩田：自分が住んでいる地域に興味を持つと楽しいですよね。人やお店、企業を知ってコミュニケーションをとっていくことで、地域の良いところがわかってくるし、お互いにとって有益な情報もゲットできて住みやすくなりますね。だから地域交流は必要だなと思います。また、失敗を許さないとか、ミスに厳しい世の中は、私はしんどいなぁと思っていて、落ち込んで弱っているときに、学校や職場の絡みがない人に、それくらいミスじゃないんじゃない？　大丈夫だよ、なんて言ってもらえたら、元気になれそう。それを言える人って、地域の方かなと思うんですよね。自分も人も許せる優しい地域になればいいな。

森川：本当に。ネットなんかを見ていても、基本的に許さないということが標準になっているような気がします。

塩田：うんうん。よく「これ普通じゃないよね」って聞くけど、そういう人には普通って何？って聞きたくなっちゃうんです。普通を疑ってみたら？　そうしたらラクになれるかも？　自分の普通がほかの人の普通と違うことは、よくあることです。親子でもそこは違うから、親御さんは自分の持つ普通をお子さんに強くは押しつけないでほしいです。人にはそれぞれ特性があって、普通でくくりたくないものもある。特性を活かせることに、いろいろチャレンジをしてみても良いんじゃないかな。

森川：先ほど、地域に興味を持つことが良いのではないか、とお話しされていましたが、塩田さんが足立区に住んでみて気がついたことはありますか？

塩田：足立区は良い意味で下町ですよね。こちらが腹を割れば、仲良くなってくれる人がたくさんいます。仕事柄、地域の社長さんたちにお世話になることが多いのですが、面倒を見てくれる人が多い。そんな土台があるような気がします。

森川：どうして面倒を見てくれる人が多いのでしょうかね？

塩田：私は「地域の若い人が困っているから、地域で助けましょうよ」と伝えて、共感してもらっています。地域の人が困っているのであれば、福祉がやればいいじゃんと思われがちだけど、それは地域のみんなの問題じゃないですか。企業でもご近所でも十分に助けることはできるはずです。ただ、やり方がわからない人がいるので、どうしたら良いのかをお伝えするようにしています。

森川：良い意味での下町って、周りの人の困りごとを自分事で考えるみたいな、昔の長屋の助け合いじゃないけど、そういうベースが足立区にはあるのかもしれませんね。もちろん、時代の流れで疎遠社会にはなってきているけど、ベースとしてはそういう考え方が残っているのかもしれませんね。

塩田：私は神奈川県の出身なんですけど、足立区に引っ越してきたら、わりとウェルカムだった気がします。まずそこで、足立区っていいな、と。そういう「いいな」も、地域の肯定感になるのかもしれません。それと、情報量が多い現代では、皆さんインプットが多くて、アウトプットの機会が少ないアンバランス状態なので、地域にアウトプットできる場があったら、気持ちのバランスがとれそう。自分の中でもより理解が深まってくるんじゃないかな。

森川：何が失敗で何が普通なのか、地域の肯定感を考える入口として良い「問い」なのかもしれませんね。

塩田：私は失敗が多い人間で、多すぎて逆に失敗が恐くない（笑）。失敗が恐い人は、失敗の数が少ないのかもしれないですね。

©２０２４ 足立区民放送「ざんぱらさんとえんがわさん」
（制作：Ｏｆｆｉｃｅ Ｓｔｒａｙ Ｃａｔ）

第 5 章

ローカルプレイヤーの教室 卒業編

義務に捉われない

皆さん、ここまで読んでいただいて、どんなことを考えていますか？

何かを始めたい人は早く始めたくてウズウズしているかもしれないし、もう活動している人は新しいアイデアが生まれたかもしれません。反対に、まだやりたいことが固まらない、もっと考える時間がほしいという感想があるかもしれません。ただ、どんな人でも共通しているのは、この本を読んでいる間に、あなたは自分と、そして地域と向き合っていました。

自宅と最寄り駅以外よく知らない、という方もいると思います。急に地域と向き合うことになり、どうしたら良いかわからなかったかもしれません。あなたと地域が信頼関係を築くには、とても時間がかかります。一度二度向き合っただけでは時間が足りません。そして、義務的につながろうとするとかえって壁ができてしまいます。

例えば、地域で活動する、地域密着の事業を立ち上げる、そんなときには、地域の人や地域団体とつながらなくてはならない、という思い込みを持つ人がいます。あちらこちらに挨拶に行かなくてはならない、と義務感を感じる人もいるでしょう。もちろんご挨拶は大切ですが、義務的な挨拶（とりあえず挨拶をしておこう）は双方にとって時間の無駄になるかもしれません。また、ご挨拶に伺って素っ気ない対応をされたら「なんか嫌だな」という感情が生まれます。

この場合、優先順位としては、あなたの活動を始める上で普段から顔を合わせる人からご挨拶したほうが良いでしょう。この顔が見える関係が広がっていき、新しい人と出会いご挨拶していく流れは、ゆっくりと心地良いつながりです。

自分の思い込みから生まれる義務もあります。それは、あなたにとっては義務であっても、相手にとっては義務ではないかもしれません。

そこで、**あなたの中で何が義務で何が義務ではないのか判断基準を考えて、それを自覚することが必要です。**あなたの判断基準は、これまで考えていただいたワークの中にたくさんあります。自分のストーリーを考えたり自分を知るワークをしたりしながら、あなたはどんなことがやりたいのか、逆にどんなことには関心がないのか、知ることができました。あなたのやりたいことを進めるための義務はやったほうが良いのですが、その逆であれば、少なくとも今は不要な義務です。また、計画していく中で「活動を始めるにはまず何をやってみるのか」を考えていただきました。ですから「まず初めにやること」から取り組み、次にやることは後に回したほうが良いです。これが判断基準の自覚です。このように、思い込みなどで出来上がってしまった義務に捉われないことで、活動の幅が広がり、楽しい時間が増えていきます。

これは、地域の中の誰かに対しても同じです。先ほど書いた通り、あなたは義務だと思っていても、相手は義務だと思っていないかもしれません。相手の考え方を知る視点を持つには、これまでにお話しした対話やコミュニティリテラシーがとても役に立ちます。

そして、まずあなたが義務に捉われていると、相手の視点は見えてきません。それは相手のためにプライドを捨てるとか、妥協するといったことではありません。あなたの判断基準を相手の考え方と並べてみるのです。そうすることで新たな気づきが生まれ、あなたの活動がより豊かなものになっていきます。

難しい話ですよね。例えで考えてみます。

あなたは何かの地域イベントで、開始前の準備をしていたとします。イベントが始まる11時までに準備を終わらせなくてはならないと思い、あなたは急いで準備をしていますが、他の関係者はおしゃべりをしながらのんびり準備しています。あなたは11時までに準備を終わらせることが義務だと思っているので、おしゃべりしている人たちを見て不快感を抱きます。

しかし、本当に11時までに準備を終わらせることが義務なのでしょうか?

おしゃべりをしている人たちの視点で見てみると、せっかく久しぶりに仲間が集まったので楽しくおしゃべりをしながら準備をしています。11時に準備が終わらなくても、何ならお客さんと一緒に準備をすればいいやと思っています。この人たちにとっては、11時までに始めることは義務ではありません。

こうなったら、選べる選択肢は3択くらいです。

①義務に捉われず、一緒におしゃべりを楽しむ

②私は私、他人は他人と考えて、自分のペースを維持する
③不快感があるのでそのイベントには二度と参加しない

この3択には答えがありません。どれも正解みたいなものです。ただ、感情的に考えて選ぶと、後々に後悔が生まれるかもしれません。あなたの判断基準と、相手との対話から総合的に判断して答えを出すのが、あなたにとっての正解となります。

この場合の対話として、あなたは相手に「準備が間に合わなくても良いのですか？」と聞いてみました。すると相手は「11時に間に合わなくても良いのよ。このイベントはお客さんと交流するのが目的だから、準備を間に合わせることが優先じゃないのよ」と言いました。そこで「そういう考え方もあるのか。接客するだけが交流じゃないかもしれない」と思えば、あなたの義務の捉え方が変わります。

しかし、やはりあなたの判断基準とは合わず否定的な印象があれば、次はイベントに参加しないという選択もあります。もし不参加について相手が否定的であっても、こればかりは仕方がありません。

このように義務に捉われないということは、新たな気づきが生まれることにつながります。新たな気づきが生まれるか生まれないかのポイントは、あなたが判断基準を自覚しているかどうかです。繰り返しになりますが、自分を知り、相手を知り、義務に捉われないことで、あなたの活動がより豊かなものになり、地域の中であなたに近い想いを持つ仲間が増えてくるでしょう。そこから心地よい共感のつながりが生まれます。

○○のためには○○しない

私は以前「人と出会える居場所」というテーマで、座談会のスピーカーを務めました。そのとき、私は「人と出会える居場所をつくるためには、人と出会うための居場所をつくるべからず」という話をしました。もちろん、人と出会える場所はとても大切です。ひと昔前よりも、地域の人々が出会う場所は減っています。ただし、その場所が「人と出会うこと」を目的にしてしまうと、出会ったら目的達成、終わりになってしまいます。つまり、持続的な場の運営が困難です。

また、極端な例ですが、もしも入口に「人と出会う場所」という看板があったらどうでしょう。人と出会わなくてはいけない、初対面の人と話さなくてはならないという印象を与えてしまいます。人見知りの人でなくても、ちょっと敷居の高さを感じます。

その反面、コーヒーを楽しむ喫茶店、お酒を飲んで語らう居酒屋、子どもがのびのび遊ぶ児童館など、これらの場所は人が出会うことを主目的としていませんが、ときとして人が出会うことが価値になることがあります。これが人と出会える場所です。

このように、あなたに○○できる場所をつくりたい、○○の活動をしたい、などの想いがある場合、一度この「○○のためには○○しない」に当てはめて考えると、新しい視点が生まれ、より一層思考が深まります。いくつか例をお書きしますね。

・子どもがのびのびできる居場所をつくりたい
「子どもがのびのびできる居場所をつくるためには、のびのびできる居場所をつくらない」

↓のびのびするとは、落ち着いてのんびりする、あるいは不自由がないことを指します。しかし、子どもは人が多くて賑やかなところでも夢中になれるものがあれば集中するし、ある程度課題があったほうがやりがいを感じるかもしれません。その結果、のびのびすることにつながる可能性があります。

・地域で環境問題の啓蒙活動を行いたい
「地域の身近な環境問題を知ってもらうためには、地域の環境問題を教えない」

↓何かを他人に教えるときには「ティーチングとコーチング」という教え方があります。ティーチングは学校の授業のように知識を教える行為であり、コーチングは面談などによって疑問を明確化したり、対話をすることで自ら解決する能力を育みます。地域に関する環境問題を知ってもらうためには、ティーチングが良いでしょうか、コーチングが良いでしょうか。環境問題は知ることも大切ですが、まずは興味を持たないと学びにはつながらないという考え方もあります。まずは、学びよりも、近隣の川や山で遊んでみるアクティビティから始めるのも良いかもしれません。

・コミュニティスペースをつくりたい

「地域住民が気軽に出会うスペースをつくるためには、気軽に出会うスペースをつくらない」

↓そもそもの話、コミュニティスペースをつくれば、住民が気軽に出会うのでしょうか？つくるだけでは解決しませんよね。もしかしたら、住民が気軽に出会うのは難しいので、最初のうちはテーマを絞りながら、人が集う場を始めていくほうが良いかもしれません。月曜は子どもの工作、火曜日は囲碁将棋会など。そして、その活動を続けていけば、結果的に気軽に出会う場所になるかもしれません。

もちろん、これらが正解だと断言はできません。ただし、今まで考えてきた活動や事業を、考えがまとまるくらいのところでこのように疑ってみるのは、仕上げとして重要な作業です。活動を考え始めたときよりも、そろそろまとまるというところでひっくり返すと、今まで考えてきたこと全てと照らし合わせてブラッシュアップすることができます。

本来、複数人で行うプロジェクトでは、このような意見を出してくれる人がいるかもしれませんが、自分ひとりで考えていたらこのような視点は生まれません。また、他人に意見を出してもらったとしても、その人との関係値が低ければ聞き逃してしまうかもしれません。

「〇〇のためには〇〇しない」というテンプレートは考えを深め、新しい視点をつくるときには便利ですので、ぜひ使ってみてください。

ローカルプレイヤーよ、ゆるくあれ！

この本の冒頭で、こんなお話をしました。

「あなたがやりたいことを地域で行うのは、あなたにとっても地域にとっても、きっと素晴らしい結果をもたらすでしょう。これは第5章でお話しするので、今はまずあなたのやりたいことを整理していきましょう」

あなたのやりたいことを実現するのは、もちろんあなたにとって素晴らしいことです。しかし、なぜ地域にとっても良い結果をもたらすのでしょうか？

例えば、あなたが地域で何かを始めると、少しずつ地域の人々とつながりができてきます。あなたがAさんという人とつながって、AさんがBさんに「○○町でこんな素敵な活動を始めた人がいる」と話すと、Bさんが興味を持ちあなたを訪ねてくるかもしれません。

Bさんはあなたと似たような活動をしていたので、お互いに共感しながら意見交換をしました。あなたは、Bさんがどんな仕事をしているか、どんな家族構成なのか、Bさんの生活は詳しくは知らないけど、想いはかなり近いと感じて、楽しい時間を過ごすことができました。これがゆるいつながりです。

そして、あなたは想いの近いBさんと話したことにより「この活動をしていて良かった」と肯定感や幸福感を感じます。そして、この活動を頑張っていこうという自発性やモチベーションが上がることでしょう。Bさんも同じような気持ちになったかもしれません。

ゆるい視点

そして、あなたの活動が続いていくとどうなるでしょうか。あやせのえんがわ式「ゆるい視点」でお話しします。

ローカルプレイヤーのつながりが広がっていくと、共感を抱く仲間との信頼関係が築かれます。第4章で書いた通り、信頼するけど期待しない。つまり、相手が自分に何かしてくれるということではなく、活動への想いやその背景に共感している信頼関係のつながりです。定期的に会う機会がなくても、地域のイベントなどでたまたま会えばいろいろな話をします。まさにゆるいつながりの体現です。

そんなゆるいつながりの人たちと、ときにはコラボレーションをしてみようという話になるかもしれません。想いの近い人たちとコラボすることは、自分にとって楽しい出来事ですし、周りにも楽しい雰囲気が広がっていきます。

しかし、ここで注意しなくてはならないのは、無理なく力を合わせることです。誰かが前日遅くまで準備をしなくてはならないとか、お客さんを何人呼ばなくてはならないとか、義務感が発生すればするほど、楽しさは減少していきます。次第に、なんで自分はコラボしているのだろう……とわからなくなってきてしまいます。コラボレーション、あるいは協働なども、ゆるいつながりと同じように、ゆるくないと続きません。例えば、10人集まらないとできないイベントであれば、無理に10人集めるより、自然に10人集まったら開催すべきです。

ただし、無理なくというのは、努力をしないわけではありません。先ほどの例でいうと、誰かが前日遅くまで準備をしなくてはならないのであれば、事前に準備作業を分担する、あるいは作業自体を少し減らせないか考えてみます。お客さんを10人呼ばなくてはならないのであれば、自分たちの想いが多くの人に届くよう宣伝は頑張ります。その上で、お客さんが集まらなかったからといって、誰かに無理して来てもらうのは良い循環ではないという話です。

また、信頼関係がある相手と協働の企画をしたはずが、よく話すと違和感があるケースもあります。例えば、どれだけ話し合っても、相手の思い通りにならなければ話が進まない打ち合わせがあったり、トンチンカンな指示ばかり受けたり……。これは無理のある協働です。相手の考えている通りに合わせなくてはいけない義務や、やらなくても良いことをやる強制が生じています。これは相手が悪いわけではなく、相手には相手の考えや道筋があり、それがあなたの考えと合わなかっただけです。

ここで大切になるのが、この章の始めに話した「判断基準」です。何となく相手が上から目線で嫌、というような感情的な話ではなく、ここまでは相手に合わせられる、ここから先の協働は難しいという線引きを自覚していることが大切です。場合によっては、相手にそれを伝えるのも良いでしょう。本当に信頼関係があれば、相手の判断基準と自分の判断基準を照らし合わせて、どんな協働ができるかという対話になるはずです。そうでなければ、相手はあなたのことを上手く使ってやろうと思っていただけかもしれません。この場合は、急に関係を切らないものの、継続した協働にならないような立ち回りが必要です。

あなたにとっても、誰かにとっても、良いコラボや協働が生まれると、地域の中で楽しい雰囲気が広がっていきます。時間はかかりますが、このような雰囲気が継続していけば、地域の中で肯定感や自発性が育まれていくでしょう。ローカルプレイヤーへの共感が広がります。

あなたからケアが広がる、地域共生社会のかたち

ここからはその先の話です。あなたや、地域の人々がローカルプレイヤーとして活躍した先にどんな未来が待っているでしょうか。復習もかねて、最後のお話です。

図5-1：つながりからケアへ

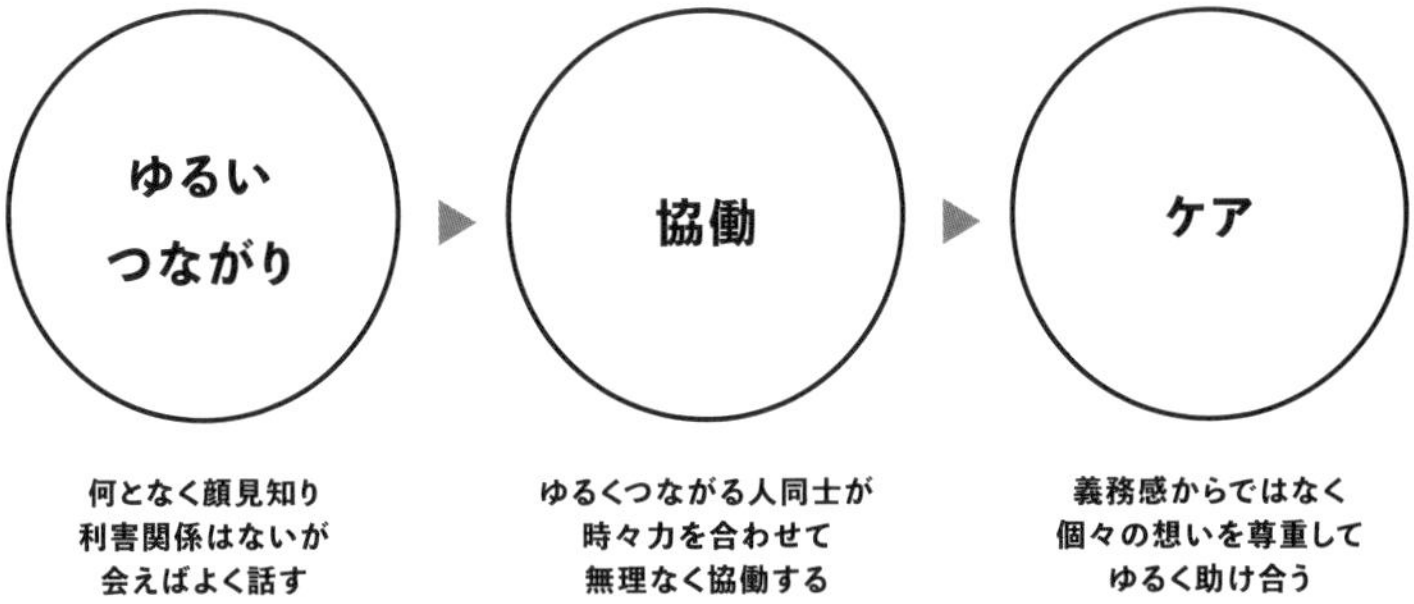
ゆるい
つながり
協働
ケア
何となく顔見知り
利害関係はないが
会えばよく話す
ゆるくつながる人同士が
時々力を合わせて
無理なく協働する
義務感からではなく
個々の想いを尊重して
ゆるく助け合う

あなたが地域と向き合い自発的に活動すると、同じ想いを持つ人々とゆるくつながり、肯定感が広がります。そして、ローカルプレイヤーのコラボや協働が生まれ、持続的に運用されることで、いとおしい暮らしが広がっていき、地域の中に安心感や信頼感が生まれます。その安心感や信頼感は、地域の中の誰かを助けることにつながります。直接的に助けるだけではなく、その地域で仕事をしたり、生活をしたりすることへの安心感が広がることも、さまざまな人を助けることにつながります。こうして地域の人々は、目に見えるかたちであっても、そうでなくても、気がつけば誰かをゆるくケアしている状態になります（図5-1）。

そんな思いやりや気遣いが循環する場こそ、

あなたが活動したいローカルなのではないでしょうか。このようにして、あなたの活動はどんどん広がっていきます。ミラクルクエスチョンでイメージしたような、大成功した未来の姿に近づきます。

これが、私が考える地域共生社会のかたちです。

机上の空論でしょうか？　それは、あなたがローカルプレイヤーとして活動すると、答えが見えてくるはずです。あなたの活動ができるだけ早く有意義なものになるように、気をつけたほうが良いポイントはできる限りこの本に書きました。

地域の中であなたの「したい」を「できる」に変えるローカルプレイヤーの教室は、これにて卒業です。

もう一度言います。**あなたの答えはあなたの中にあります。**あなたが創り上げる未来を楽しみにしています。

さあ、この素晴らしい地域で、ローカルプレイヤーの旅を始めましょう！

おわりに

この本は、対面講座「ローカルプレイヤーの教室」の内容を書籍化したものです。講座を始めることができたのは、株式会社エンパブリックの広石拓司さんをはじめ、スタッフの皆さんからいただいたご助言のおかげです。

また、ストーリーづくりのパートは、有限会社人事・労務主催のウェルファイアカデミーからヒントを得ています。人事・労務の矢萩大輔さんおよび９０３シティファーム推進協議会の皆さんには、弊社が創業時からお世話になっております。

対談パートにご出演いただいた４名のゲストの皆さん、そして足立区民放送（ＯｆｆｉｃｅＳｔｒａｙＣａｔ）の宮﨑誠弥さん、ざんぱらさんの金子ざんさん、ご協力をありがとうございました。

校正に関しては、足立区の仲間であるひよこのカフェハウスのオーナー、小泉美すずさんにサポートいただきました。同じ地域の小泉さんにサポートいただき心強かったです。

表紙を描いてくださったのは、たかはしけいこさんです。一晩で原稿を読んでくださり、私の想いを汲んだイラストを描いてくださいました。とてもお気に入りの作品です。
そして、今回の出版を実現に漕ぎ着けてくださった小鳥書房の皆さんに深く感謝申し上げます。初対面にも関わらず、本をつくりたいという私の相談に快く応じてくださった代表の落合さん、執筆に伴走していただいた編集の佐藤さんの力がなくては、この本は完成しませんでした。小鳥書房の本屋の棚にこの本が並ぶことを光栄に思います。

最後に、対面講座ローカルプレイヤーの教室の受講生の方々、いつもありがとうございます。講座で皆さんと向き合うことは、私にとっても良い気づきや学びを得る機会となりました。講座終了後も地域で活動する仲間として、刺激をいただいています。

本書の制作に携わっていただいたすべての皆さんへ、ここに感謝の意を表します。

2024年6月
合同会社えんがわ
森川公介

森川公介（もりかわ・こうすけ）

合同会社えんがわ代表。ローカルプレイヤーの教室主催。元ケアマネジャー。

１９８２年６月生まれ。生まれも育ちも東京都足立区。

２００６年より介護職に就き、グループホームの管理者やケアマネジャー事務所の管理者を経験。介護関係のイベントや勉強会の運営、地域のお祭りなどのお手伝いを通じて地域活動を学ぶ。

２０２１年４月、東京都足立区綾瀬にて合同会社えんがわを設立。ケアマネ事務所「あやせのえんがわ」を、コミュニティスペースを兼ねて運営。

２０２３年３月、社会保障制度にとらわれない地域貢献を目指し、ケアマネ業を休止。地域活動を始める人々のための「ローカルプレイヤーの教室」を開講。

２０２４年現在、地域活動の講師や住民会議のファシリテーター、地域イベント運営やコーディネート、ＮＰＯ団体の運営等で地域活動を実践している。

Photo by 清水かんな

ローカルプレイヤーの教室

地域の中であなたの「したい」を「できる」に変える

2024年6月19日　初版発行

著者　森川公介

装画　たかはしけいこ

校正協力　小泉美すず

編集・装丁　佐藤雄一（小鳥書房）

発行者　落合加依子

発行所　小鳥編集室

〒186－0003
東京都国立市富士見台1－8－15
電話　070－9177－8878

ISBN 978-4-908582-14-1 C0036